Mince alors...

FINIS LES RÉGIMES!

Conception graphique de la couverture: Christiane Houle

DISTRIBUTEURS EXCLUSIFS:

- Pour le Canada et les États-Unis:
  LES MESSAGERIES ADP*
  955, rue Amherst, Montréal H2L 3K4
  Tél.: (514) 523-1182
  Télécopieur: (514) 939-0406
  * Filiale de Sogides ltée

- Pour la Belgique et le Luxembourg:
  PRESSES DE BELGIQUE S.A.
  Boulevard de l'Europe 117
  B-1301 Wavre
  Tél.: (10) 41-59-66
       (10) 41-78-50
  Télécopieur: (10) 41-20-24

- Pour la Suisse:
  TRANSAT S.A.
  Route des Jeunes, 4 Ter
  C.P. 125
  1211 Genève 26
  Tél.: (41-22) 342-77-40
  Télécopieur: (41-22) 343-46-46

- Pour la France et les autres pays:
  INTER FORUM
  Immeuble Paryseine, 3 Allée de la Seine, 94854 Ivry Cedex
  Tél.: (1) 49-59-11-89/91
  Télécopieur: (1) 49-59-11-96
  Commandes: Tél.: (16) 38-32-71-00
                 Télécopieur: (16) 38-32-71-28

Debra Waterhouse

Mince alors...

FINIS LES RÉGIMES!

MÉTHODE

DE CONTRÔLE DU POIDS
CONÇUE POUR LES FEMMES

*Traduit de l'américain
par Marie Perron*

LES ÉDITIONS DE L'HOMME

Données de catalogage avant publication (Canada)

Waterhouse, Debra

    Mince alors...: finis les régimes
    Traduction de: Outsmarting the Female Fat Cell.
    Comprend des références bibliographiques et un index.
    1. Amaigrissement.   2. Femmes - Santé et hygiène.
I. Titre.

RM222.2.W3714 1994   613.2'5'082   C94-940036-X

© 1994, Les Éditions de l'Homme,
une division du groupe Sogides,
pour la traduction française

L'ouvrage original américain a été publié par Hyperion
sous le titre *Outsmarting the Female Fat Cell*
(ISBN: 1-56282-857-6)

Dépôt légal: 1er trimestre 1994
Bibliothèque nationale du Québec

ISBN 2-7619-1152-0

À mes parents, Alina et Ray Waterhouse, qui, par leur immense affection et leurs encouragements généreux, m'ont sans cesse donné la force et la confiance nécessaires à la réalisation de tous les objectifs que je me suis fixés, y compris celui-ci.

Remerciements

Les deux êtres les plus importants de ma vie, mon mari et ma sœur, m'ont soutenue dans la rédaction de ce livre depuis la première étincelle d'inspiration jusqu'au manuscrit final. Ils méritent, bien plus que des remerciements, une médaille d'honneur.

Merci à mon mari, cet homme d'une infinie patience, qui ne s'est pas contenté d'être mon critique le plus sévère, mais aussi mon compagnon le plus constant. Comme toi seul pouvais le faire, tu m'as aidée à conserver mon équilibre et à garder les pieds sur terre.

Merci à ma très belle sœur Lori Waterhouse Erwin, pour son appui, ses encouragements et son affection. Qu'aurais-je fait sans toi?

Je suis à jamais redevable à Cynthia Traina de Traina Public Relations à San Francisco qui, la première, m'a convaincue que je pouvais écrire et qui m'a mise en contact avec la personne qui a su changer ma vie, Sandra Dijkstra.

Mille mercis à mon agent, Sandra Dijkstra, et à son associée, Katherine Goodwin Saideman, qui ont fait beaucoup plus que le nécessaire. Leur savoir-faire, leur réputation, leur engagement sont à l'origine de mon succès.

Je dois encore remercier tant d'autres amis, collègues et parents (oui, toi aussi, Laura Euphrat) pour leurs suggestions et leur écoute attentive. Je sais que ma préoccupation constante et mes efforts pour terminer ce projet les auront ennuyés à mourir. Je leur suis reconnaissante d'avoir été là pour moi.

Préface

Les enquêtes le disent: les femmes mangent moins que jamais. Leurs choix alimentaires ne répondent plus à l'ensemble de leurs besoins nutritionnels. Plusieurs éléments nutritifs manquent à leur menu, par exemple le calcium, le fer, le magnésium, le zinc, l'acide folique et la vitamine B_6. Cette malnutrition féminine laisse des séquelles à tous les âges de la vie, de l'adolescence à l'âge d'or.

L'anémie touche une femme sur dix alors que la tension prémenstruelle en affecte 85 p. 100. L'aménorrhée et l'infertilité sont de plus en plus courantes. Les complications de grossesse et les naissances de bébés trop petits sont encore trop fréquentes. La fatigue est rapportée par 70 p. 100 des femmes cadres supérieurs comme étant leur principal souci. L'ostéoporose ruine les dernières années de vie d'une femme sur quatre.

Et tout cela, trop souvent, parce qu'on a voulu conserver sa ligne! Combien de femmes ont suivi un nombre record de régimes sans jamais atteindre la silhouette souhaitée? Combien versent dans la boulimie? Hélas, un nombre effarant de femmes boulimiques, de 30 à 40 p. 100, sont démoralisées après chaque épisode de gavage et vivent continuellement dans la crainte d'un nouvel épisode. Et comment ne pas souligner les désastres de l'anorexie, qui cause autant de décès que tous les cancers réunis en une année? En effet, les statistiques de la Société canadienne du cancer révèlent que 26 500 femmes sont mortes de cancer en 1992 alors que les experts en problèmes de comportement alimentaire soulignent que 10 p. 100 des 200 000 à 300 000 femmes actuellement atteintes d'anorexie en mourront.

Les femmes ont suffisamment souffert dans leur corps et devant leur assiette. Elles méritent de prendre congé des régimes. Elles ont besoin d'aide pour retrouver le plaisir de manger, pour s'apprécier telles qu'elles sont, pour considérer les bons aliments comme des alliés, pour choisir l'exercice comme source de bien-être.

Lorsque l'éditeur américain de ce livre m'a fait parvenir le manuscrit, je l'ai remisé sur une tablette, croyant qu'il s'agissait encore d'un nouveau régime. Après plusieurs mois, l'éditeur m'a posté la version finale du livre. Alors là, je l'ai lu et j'ai eu le coup de foudre!

Enfin un livre qui explique pourquoi les régimes amaigrissants échouent et les femmes reprennent du poids dans 95 p. 100 des cas.

Enfin un livre qui souligne les différences métaboliques qui existent entre un homme et une femme, et qui explique pourquoi les femmes, contrairement aux hommes, ont tant de mal à perdre du poids.

L'information, c'est le pouvoir... ou presque. Lorsque l'on comprend mieux ce qui se passe dans toutes ses petites cellules de gras, on ne joue plus avec son poids et on développe une plus grande sagesse face à son corps. Les propos de la diététiste Debra Waterhouse sont plus que bienvenus. Ils immunisent contre les régimes amaigrissants traditionnels. Ils détruisent la culpabilité reliée à certains aliments. Ils remettent les repas à l'agenda. Ils visent l'adoption d'un style de vie plus harmonieux et plus actif.

Mince alors! Finis les régimes peut s'avérer le point de départ d'une vraie démarche de santé pour un grand nombre de femmes. C'est ce que je souhaite!

Louise Lambert-Lagacé

Pourquoi lire ce livre?

Si vous êtes à la recherche d'une méthode révolutionnaire, honnête et prouvée scientifiquement pour perdre du poids, une méthode conçue spécialement pour les femmes, ne cherchez plus, vous avez trouvé! C'est la méthode **OFF*** — celle qui dame le pion à vos cellules adipeuses, c'est-à-dire à vos cellules de gras.

Ce qui suit *n'est pas* un régime amaigrissant. Un régime amaigrissant est une réduction de l'apport calorique pratiquement impossible à respecter au-delà d'un mois et souvent dévastatrice tant au point de vue psychologique qu'au point de vue physiologique. La méthode **OFF** est aux antipodes du régime amaigrissant. Elle propose une transformation réaliste et permanente de vos habitudes alimentaires grâce à laquelle vous pourrez manger tout ce dont vous avez envie, et qui changera à jamais la physiologie de vos cellules adipeuses en les neutralisant. Comme vous le verrez, par la méthode **OFF** on ne jeûne pas. On mange. C'est une agréable, une délicieuse solution de rechange à la diète.

Il y a plusieurs années, au tout début de ma pratique de diététiste, je pris immédiatement conscience de la différence énorme qui caractérise la perte de poids chez l'homme et chez la femme. Je ne comprenais pas pourquoi ma clientèle féminine perdait moins de poids et le perdait plus lentement. Ces deux dernières années, des recherches fascinantes ont eu lieu qui

---

* **OFF** - acronyme de «Outsmarting the Female Fat», expression tirée du titre original de l'ouvrage, *Outsmarting the Female Fat Cell. (N.d.t.)*

tendent à démontrer ce que je soupçonnais déjà (et que vous soupçonniez sans doute aussi), soit que les cellules adipeuses féminines sont physiologiquement distinctes des cellules adipeuses masculines. Elles sont futées et entêtées, elles adorent emmagasiner les graisses et elles détestent y renoncer.

Les plus grands experts mondiaux dans le domaine de l'obésité ont découvert que les cellules adipeuses de la femme sont plus volumineuses, car elles contiennent une plus grande quantité d'enzymes *rétentrices* de graisses, tandis que les cellules adipeuses de l'homme sont plus petites, car elles contiennent une plus grande quantité d'enzymes qui *éliminent* les graisses. Les études du Cedars-Sinai Medical Center de Los Angeles, ainsi que celles d'autres centres de recherches ont démontré que, chez la femme, les cellules adipeuses des hanches et des cuisses sont au moins deux fois plus aptes à emmagasiner la graisse qu'à l'éliminer. Il n'y a donc pas lieu de s'étonner si les hommes ont tendance à maigrir rapidement et à rester minces, tandis que les femmes maigrissent lentement et tendent à reprendre rapidement les kilos perdus. Lorsqu'une femme suit un régime amaigrissant, la physiologie de ses cellules adipeuses joue contre elle.

En quoi la cellule adipeuse féminine diffère-t-elle de la cellule adipeuse masculine? La réponse à cette question tient en deux mots: les œstrogènes. Les œstrogènes «nourrissent» les cellules adipeuses des hanches, des fesses et des cuisses. Ils les protègent en les rendant très aptes à retenir les graisses. C'est là une protection nécessaire, car leur rôle est différent de celui des cellules adipeuses masculines. Pour assurer la fertilité et favoriser la grossesse chez la femme, les cellules adipeuses doivent emmagasiner le plus de calories possible. Cet enrobement prend naissance à la puberté. À ce moment, la sécrétion initiale d'œstrogènes conduit à une accumulation de gras dans les hanches et les cuisses de l'adolescente. Vous aurez sans doute remarqué que, pendant la grossesse, ces cellules emmagasinent des graisses en grande quantité dans le but de protéger le fœtus. À l'université Johns Hopkins et ailleurs, les chercheurs ont découvert une augmentation de la masse graisseuse chez les femmes qui prennent un supplément d'œstrogènes par ingestion d'anovulants ou dans le cadre d'une hormonothérapie substitutive. Mais les recherches les plus concluantes ont été effectuées sur des hommes. En effet, lorsqu'on leur administre des œstrogènes, ils grossissent au niveau des hanches et des cuisses, et c'est seulement au prix de beaucoup d'efforts qu'ils parviennent à perdre cet excédent de poids!

Il est important pour vous de savoir, d'admettre et de comprendre que les hormones de la femme et la physiologie de ses cellules adipeuses font qu'il lui est plus difficile de perdre ses kilos en trop. Il est encore plus important que l'on vous aide sérieusement et efficacement à contrôler votre poids.

Le présent ouvrage a fixé deux objectifs principaux:

1. Vous aider à comprendre le fonctionnement des cellules adipeuses de la femme.
2. Vous fournir une solution permanente pour venir à bout de vos cellules adipeuses et pour maintenir votre poids santé.

Je vous entends vous dire: «Tout cela est bien joli, mais combien de kilos perdrai-je grâce à la méthode **OFF**?»

Je ne ferai aucune promesse en l'air dans l'intention de vendre des livres et d'acquérir une notoriété bien fugace. Je ne vous dirai pas que vous perdrez «un demi-kilo par jour», «un kilo et demi par semaine» ou «10 kilos par mois». Les femmes ne possèdent tout simplement pas le système lipofuge nécessaire pour maigrir aussi vite et de façon définitive. N'achetez pas ce livre si vous croyez y trouver la solution miracle pour perdre en un mois vos 10 kilos en trop. Achetez-le si vous comprenez qu'il vous donnera les moyens physiologiques de berner à jamais vos cellules adipeuses.

Si je ne fais pas de promesses en l'air, je puis, en revanche, vous promettre *ceci*:

- Si vos attentes sont réalistes, vous perdrez autant de poids que vos gènes le permettront.
- Vous ne suivrez plus jamais de régime amaigrissant.
- Vous apprendrez à manger tout ce dont vous avez envie sans vous culpabiliser et sans grossir.
- Vous apprendrez à comprendre votre corps, vos cellules adipeuses et la physiologie de votre organisme.
- Vous travaillerez en harmonie avec la physiologie de votre corps (et non pas contre elle) pour venir à bout de vos cellules adipeuses.

- Vous serez rassérénée en sachant que vous n'avez pas perdu la guerre contre l'excès de poids.
- Vous ne compterez plus jamais les calories.
- Vous ne renoncerez plus jamais à vos mets préférés.
- Vous aurez un rapport sain avec la nourriture.
- Vous rendrez votre corps rétenteur de graisses apte à brûler celles-ci.
- Vous rapetisserez à jamais vos cellules adipeuses grâce à des habitudes alimentaires nouvelles et à un programme d'exercices spécialement conçu pour le corps féminin.

Donc, pour répondre à la question clé, «Combien de kilos perdrai-je?», vous perdrez autant de kilos que vous le désirez grâce à la méthode **OFF**, dans la mesure où vos attentes sont réalistes. Dans une société qui incite à la minceur, les femmes aspirent au corps «parfait» véhiculé par les agences publicitaires, un corps qui ne leur est pas accessible biologiquement. Si vos attentes ne sont pas réalistes, si elles sont inatteignables, vous ne connaîtrez jamais le succès escompté. Des attentes réalistes tiennent compte de l'âge, des gènes, du bilan reproducteur (grossesses, méthodes contraceptives, ménopause, hormonothérapie, et ainsi de suite), de la masse graisseuse et du type physique. Je vous aiderai à vous créer des attentes réalistes.

L'autre question, «Combien de temps me faudra-t-il pour perdre mes kilos en trop?», est plus complexe. Je ne suis pas partisane de la perte de poids rapide, et je ne vous promets pas qu'elle se produira. C'est un fait maintenant abondamment démontré qu'une perte de poids rapide entraîne un gain de poids rapide. Mais mon expérience auprès de plus de 200 clients m'autorise à vous fournir quelques éléments de réponse.

Avant que je vous fasse part de ce que j'ai appris au fil des ans au contact de mes clientes, regardons un peu la situation générale. La perte de poids «réelle» est une perte de graisse. Il s'agit donc, ultimement, de diminuer le pourcentage de gras de votre corps en réduisant la dimension de vos cellules adipeuses. Il ne s'agit pas de diminuer votre masse musculaire. Le muscle est composé de tissu métaboliquement actif qui contribue à brûler les graisses et les calories. Vous devez, au contraire, augmenter votre masse musculaire par un programme d'exercices. Plus votre masse musculaire est importante, plus votre métabolisme est accéléré, plus vous mangez, plus vous maigrissez. Une des raisons qui font que les athlètes peuvent manger davantage tout en pesant moins, est l'importance de leur masse musculaire. Mais il n'est pas nécessaire d'être un coureur de marathon pour connaître ce bienfait. Une augmentation de poids d'un kilo ou deux ne fera pas de vous une personne plus grosse. Le muscle se compose de tissu dense plus lourd que le tissu adipeux. Vous pouvez perdre un kilo de graisse et prendre un kilo de muscle tout en paraissant plus mince.

Votre pèse-personne ne vous dit pas quelles proportions de muscle et de graisse composent votre corps, ni combien de graisse vous avez perdue, ni combien de muscle vous avez pris. Mon conseil? Jetez votre pèse-personne et faites analyser votre composition corporelle. Cette analyse tiendra compte séparément de votre poids en graisses et de votre poids en muscles, et vous dira de quoi votre corps est fait. Dans l'analyse suivante, le gain en masse musculaire et la perte de masse adipeuse ont été calculés en fonction de l'épaisseur des plis cutanés, mesurés au moyen d'un compas à calibrer. Les professionnels de la santé utilisent ces compas pour mesurer la quantité de tissu adipeux sous les bras (ces chairs flasques qui nous empêchent de porter des corsages sans manches), sur les hanches, sur les cuisses ainsi que sur d'autres parties du corps.

RÉSULTATS GRÂCE À LA MÉTHODE OFF

	DURÉE EN MOIS				
	1	3	6	9	12
Perte de graisses (kilos)	0,91	3,63	4,99	6,80	9,53
Gain de muscles (kilos)	0,45	1,36	1,81	2,27	2,27
Perte de poids (kilos)	0,45	2,27	3,18	4,54	7,26
Taille (perte en cm)	1,27	3,81	6,35	10,16	16,51
Hanches (perte en cm)	1,02	2,54	5,08	8,89	15,24
Cuisses (perte en cm)	1,02	1,27	3,81	5,08	7,62

Ces résultats vous décevront sans doute beaucoup à première vue: perdre moins d'un demi-kilo en un mois, à peine plus d'un kilo en trois mois... C'est trop peu! Mais si vous regardez combien de kilos de graisse et combien de centimètres de tour de taille ont été perdus pendant la même période, les résultats sont beaucoup plus encourageants. La perte moyenne de graisse est de près de 4 kilos en trois mois, presque 10 kilos en un an. Si vous regardez le tour de taille, de hanches et de cuisses, vous constatez que la perte en graisse combinée à l'augmentation de la masse musculaire se traduit par une silhouette plus fine.

On ne saurait venir à bout de ses cellules adipeuses du jour au lendemain, en une semaine ou même en un mois. Je dis aux femmes qu'elles doivent patienter environ trois mois avant de constater une amélioration de leur silhouette. C'est seulement alors qu'elles pourront déterminer avec réalisme le temps qu'il leur faudra pour atteindre le but qu'elles se sont fixé grâce à la méthode **OFF**. Un programme qui promet des résultats immédiats ne saurait transformer la physiologie de vos cellules adipeuses; il vise le profit, non pas le maintien de votre poids santé ni votre bien-être.

Passons maintenant à la troisième question: «Vais-je reprendre le poids perdu?» Pas si vous faites en sorte que la méthode **OFF** s'intègre naturellement à votre mode de vie. L'expression *s'intégrer naturellement à votre mode de vie* est la clé de votre succès. La méthode **OFF** doit s'harmoniser avec tous les aspects de votre vie professionnelle et de votre vie privée. Elle doit changer à mesure que votre vie évolue.

Dans la méthode **OFF**, *vous n'avez pas* à vous conformer à un plan alimentaire de trois semaines (en fait, vous n'avez à vous conformer à aucun plan alimentaire), ou encore à boire un repas liquide tous les midis, ou enfin à obéir scrupuleusement à une liste de règlements. Ces techniques ne sont pas naturelles, elles n'entraînent pas des transformations permanentes, car il est impossible de s'y conformer pendant toute une vie. Voilà pourquoi la plupart des méthodes commerciales pour le contrôle du poids entraînent des échecs à long terme — le taux de succès est au mieux de 5 à 10 p. 100. La méthode **OFF** peut se vanter d'un taux de succès de 80 p. 100 en un an et de 65 p. 100 après cinq ans. *Vous avez 10 fois plus de chances de rester mince avec la méthode* **OFF**.

La méthode **OFF** est une approche naturelle, une façon de vivre qui peut vous aider à transformer à jamais la physiologie de vos cellules adipeuses féminines. Elle comporte six stratégies efficaces qui s'appuient sur des données scientifiques, des stratégies résultant de mes huit années de travail auprès de milliers de femmes pour les aider à damer le pion à leurs cellules adipeuses.

STRATÉGIE nº 1: Aérobisez vos cellules adipeuses
STRATÉGIE nº 2: Cessez de jeûner et mangez
STRATÉGIE nº 3: Nourrissez votre corps, pas vos cellules adipeuses
STRATÉGIE nº 4: Mangez moins, plus souvent
STRATÉGIE nº 5: Habituez-vous à manger de préférence le jour
STRATÉGIE nº 6: Éliminez le gras de votre alimentation

La méthode **OFF** initiale, d'une durée de trois mois, vous aidera à intégrer ces stratégies à votre mode de vie. Vous apprendrez à enclencher le processus, à vous fixer des objectifs et à les atteindre, à faire le suivi de votre progrès. Contrairement au régime sévère (que l'on suit ou que l'on ne suit pas), la méthode **OFF** est flexible, réaliste, et dure toute la vie. Elle cesse vite d'être une «méthode» pour se confondre avec votre façon d'être.

Ce livre se divise en trois sections importantes:

1. Dans les chapitres 1 à 3, vous apprendrez et comprendrez le fonctionnement de vos cellules adipeuses féminines.
2. Les chapitres 4 et 5 vous prépareront à pratiquer avec succès la méthode **OFF** en stimulant votre volonté et votre engagement. Ils vous aideront à:
   - viser une perte de poids permanente et non pas temporaire;
   - viser une perte de poids progressive et non pas immédiate;
   - viser une perte de graisse et non pas une perte de poids.
3. Les chapitres restants vous donneront une explication graduelle de la méthode **OFF** et analyseront les techniques grâce auxquelles vous bernerez à jamais vos cellules adipeuses.

Oubliez les régimes, oubliez les calories, ayez dorénavant une alimentation saine et sensée qui travaille en harmonie avec le corps féminin et non pas contre lui.

Voilà. Êtes-vous prête à berner vos cellules adipeuses féminines? Attention, cellules graisseuses! On arrive!

Chapitre premier

Ne confondons pas pommes et poires

Au tout début de ma pratique, je reçus la visite d'un couple qui cherchait à perdre du poids. Chacun avait environ neuf kilos en trop, et ils pensaient qu'il leur serait plus facile de les perdre ensemble. Je leur donnai un programme d'exercices et leur proposai des façons d'améliorer leurs habitudes alimentaires. Un mois plus tard, l'homme avait perdu trois kilos et la femme avait grossi de 500 grammes. Quand je leur demandai s'ils suivaient mes conseils chacun à leur façon, leur réponse fut négative. Ils mangeaient la même chose et s'adonnaient ensemble à la marche. Un autre mois passa: l'homme perdit deux kilos et demi et la femme les 500 grammes qu'elle avait pris au cours du premier mois. Elle était frustrée et dépressive, et elle faillit échanger les exercices pour du chocolat. J'étais, quant à moi, tout aussi perplexe et frustrée qu'eux et je faillis renoncer à ma pratique.

C'est alors que je me rendis compte des énormes différences entre les hommes et les femmes en ce qui concerne la perte de poids et que je m'intéressai à la mystérieuse cellule adipeuse féminine.

Je me livrai donc à quelques recherches sur le métabolisme des graisses chez la femme. J'eus ensuite une conversation avec mon couple de clients et je leur dis que les hommes naissent munis d'un système lipofuge qui leur permet de perdre du poids plus vite que les femmes. Je demandai à la femme si elle acceptait de se soumettre à quelques expériences, par exemple modifier son programme d'exercices et changer son alimentation. Deux mois plus tard, elle rattrapait son mari et au bout de six mois ils avaient tous les deux atteint leur objectif.

Le fait est que les femmes sont différentes des hommes. Cette différence va au-delà des apparences, jusqu'à la constitution interne du corps. La cellule adipeuse féminine est volumineuse, forte et têtue, ce qui explique pourquoi les femmes perdent moins de poids que les hommes, qu'elles le perdent plus lentement et qu'elles le reprennent plus vite qu'eux.

Avant d'être en mesure de comprendre comment la cellule adipeuse féminine peut saboter les efforts que nous faisons pour perdre du poids, il nous faut étudier la nature et le fonctionnement de cette cellule.

Notre corps compte plus de 30 milliards de cellules adipeuses (oui, 30 *milliards*) capables d'emmagasiner au-delà de 68 kilos de graisse. La seule et unique fonction de la cellule adipeuse consiste à emmagasiner (ou retenir) les calories quand vous n'en avez pas besoin et à les éliminer (ou dissoudre) quand elles vous deviennent nécessaires. La rétention et l'élimination des graisses s'appellent:

lipogénèse = rétention des graisses
«lipo» signifie graisse; «génèse» signifie formation

lipolyse = élimination des graisses
«lipo» signifie graisse; «lyse» signifie dissolution

Une cellule adipeuse ne fonctionne pas seule; elle requiert la participation d'un ensemble complexe d'enzymes. Les enzymes facilitent le transport de la graisse dans et hors de la cellule adipeuse. Il n'est donc pas étonnant que les enzymes qui facilitent la rétention des graisses portent le nom d'enzymes *lipogènes,* tandis que les enzymes qui facilitent la dissolution des graisses portent le nom d'enzymes *lipolytiques.*

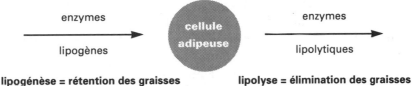

lipogénèse = rétention des graisses   **lipolyse = élimination des graisses**

Les hommes et les femmes possèdent à peu de chose près le même nombre de cellules adipeuses, mais c'est là que s'arrêtent les similitudes. C'est dans leur dimension et dans leurs enzymes que se situe la principale différence entre les cellules adipeuses féminines et les cellules masculines. Vous avez deviné: les femmes possèdent un plus grand nombre d'enzymes lipogènes pour retenir les graisses. Plus vous retenez les graisses, plus la cellule adipeuse est volumineuse. Les hommes possèdent un plus grand nombre d'enzymes lipolytiques qui éliminent les graisses, de sorte que leurs cellules adipeuses sont plus petites.

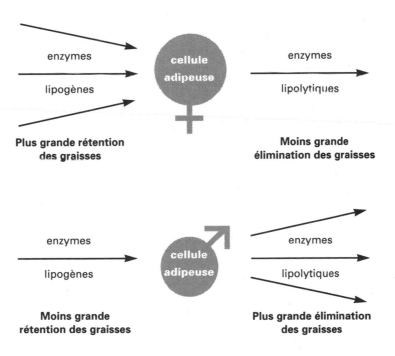

Plus grande rétention   **Moins grande**
des graisses   **élimination des graisses**

Moins grande   **Plus grande élimination**
rétention des graisses   **des graisses**

Bref, les femmes ont tout ce qu'il faut pour emmagasiner rapidement et efficacement les graisses; les hommes ont tout ce qu'il faut pour dissoudre rapidement et efficacement les graisses. Les femmes brûlent les graisses très lentement; les hommes emmagasinent les graisses très lentement. Pourquoi les femmes héritent-elles de la mauvaise partie du marché? Parce que les femmes sont des femmes, tout simplement. Les œstrogènes, les hormones sexuelles féminines, activent et multiplient les enzymes lipogènes. Cela explique pourquoi il y a généralement une augmentation du tissu adipeux chez la femme à la puberté, pendant la grossesse et lors de la prise d'anovulants (contraceptifs oraux) ou d'hormones substitutives. Mère Nature avait une arrière-pensée quand elle fit de nous le sexe gras: les femmes ont besoin de plus de graisses pour demeurer en santé, pour être fertiles et pour enfanter. On ne peut être une femme sans posséder un certain pourcentage de tissus adipeux.

Les œstrogènes ne se contentent pas d'encourager les enzymes lipogènes à emmagasiner les graisses, ils décident aussi de l'emplacement de cet excédent adipeux. Voilà une autre des différences fondamentales entre les hommes et les femmes. Les œstrogènes causent une accumulation des graisses dans la région des fesses, des hanches et des cuisses. La femme moyenne porte des vêtements de taille huit en haut de la ceinture et de taille douze en bas de la ceinture. C'est pourquoi la silhouette des femmes est le plus souvent dite de type «poire». Chez l'homme, l'embonpoint se situe habituellement au niveau de la taille en raison de l'action de l'hormone sexuelle mâle, la testostérone. C'est pourquoi la silhouette des hommes est le plus souvent dite de type «pomme». Si l'on s'appuie sur ces différences entre les cellules adipeuses féminines et masculines, on ne saurait mélanger les pommes et les poires.

Si votre silhouette est de type poire, les hanches et les cuisses seront les premières à grossir et les dernières à mincir. Les cellules adipeuses de la région inférieure du corps sont plus volumineuses et possèdent un plus grand nombre d'enzymes lipogènes. Si vous suivez un régime amaigrissant ou que vous faites de l'exercice, le haut du corps mincira en premier. Une de mes clientes faillit renoncer à faire de l'exercice, car ses épaules maintenant plus fines et ses seins plus petits faisaient paraître ses hanches et ses cuisses encore plus grosses. L'excédent de graisses dans le bas du corps finira par fondre aussi, mais ces cellules adipeuses sont têtues et résisteront plus longtemps que vous le voudriez.

Si votre silhouette est de type pomme, comme cela se transmet dans certaines familles, les cellules abdominales tendent à être plus petites et à contenir un plus grand nombre d'enzymes lipolytiques qui accélèrent la dissolution des graisses. Les œstrogènes augmentent toujours la résistance de vos cellules adipeuses, mais, contrairement au type poire, vous réagirez plus rapidement à un programme d'exercices et à de saines habitudes alimentaires.

Avec l'âge, la silhouette de type poire et la silhouette de type pomme deviennent plus marquées chez les hommes et les femmes. Pour faire un peu d'humour sportif, disons que les hommes nagent (ils acquièrent une «bouée de sauvetage») et les femmes chevauchent (elles acquièrent une «culotte de cheval»).

Voyons comment cette physiologie de la cellule adipeuse féminine se traduit dans votre vie de tous les jours. Vous avez eu

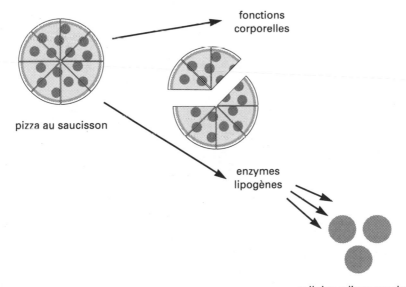

fonctions corporelles

pizza au saucisson

enzymes lipogènes

cellules adipeuses des hanches et des cuisses

une dure journée de travail, vous êtes affamée et, au dîner*, vous dévorez une gigantesque pizza au saucisson. Votre organisme a besoin, pour fonctionner, de certaines de ces calories (la valeur de trois pointes de pizza), mais les cinq pointes restantes projettent dans votre sang un excédent de calories dont votre corps n'a pas besoin. Puisque les cellules adipeuses de vos hanches et de vos cuisses sont celles qui peuvent le mieux les emmagasiner, les enzymes lipogènes y transportent les cinq pointes de pizza en trop. Vos hanches et vos cuisses ont grossi avant même que vous ne mangiez votre glace au chocolat comme dessert.

    Ce n'est pas seulement parce que nous sommes des femmes et que nous produisons des hormones œstrogènes que notre corps est passé maître dans l'art d'emmagasiner les graisses. Notre obsession de la minceur a fait de nous des fanatiques du régime amaigrissant. Je n'ai jamais rencontré de femme qui n'ait pas suivi au moins un régime dans sa vie, et la plupart d'entre elles en essaient en moyenne deux par année.

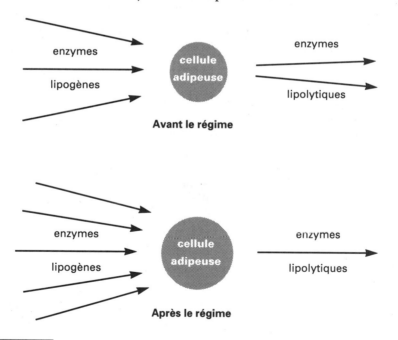

* Afin d'éviter toute confusion, spécifions que dans le présent ouvrage le petit déjeuner est le repas du matin, le déjeuner celui du midi, et le dîner celui du soir. (*N.d.t.*)

Ainsi que vous le découvrirez dans le chapitre 2, le régime est le meilleur ami de la cellule adipeuse féminine. Si les femmes connaissaient l'effet qu'ont les régimes amaigrissants sur leur organisme, elles ne se laisseraient pas tenter, même pas une seconde, par le nouveau régime miracle qu'elles envisagent d'entreprendre lundi prochain. Dès que vos cellules adipeuses découvrent que votre apport calorique a diminué, elles organisent une véritable fête à laquelle sont conviés les enzymes lipogènes qu'elles incitent alors fortement à emmagasiner des graisses. Malheureusement, les enzymes lipolytiques ne sont pas sur leur liste d'invités. À la suite d'un régime amaigrissant, vos cellules adipeuses augmentent donc de volume, votre corps emmagasine plus facilement les graisses et vous les brûlez encore plus difficilement.

Puisque nous en sommes à comparer des pommes et des poires, disons aussi que les cellules adipeuses de l'homme réagissent au régime d'une manière différente. Quand les hommes suivent un régime amaigrissant conventionnel, leur corps possède tout naturellement le système lipofuge capable d'entraîner une perte de poids permanente. En fait, ils ont deux fois plus de chances que les femmes de ne pas reprendre les kilos perdus. Bien sûr, les femmes qui suivent un régime amaigrissant conventionnel peuvent elles aussi perdre leurs kilos en trop, mais elle les reprendront très vite en même temps qu'elles grossiront de quelques kilos supplémentaires.

Il existe encore une dissimilitude entre les hommes et les femmes: la cellule musculaire. Ce n'est pas que les cellules musculaires des hommes et celles des femmes fonctionnent différemment, c'est simplement que les hommes ont un plus grand nombre de cellules musculaires, soit environ 40 p. 100 de plus que les femmes. Les muscles présentent un appareil calorifuge particulier, les «mitochondries», dont le rôle consiste, entre autres, à convertir les calories en chaleur et en eau. Or, quand il s'agit de choisir la destination des calories que vous absorbez, plus vos cellules musculaires seront nombreuses, plus les calories seront dirigées vers ces cellules pour y être brûlées au lieu d'être orientées vers les cellules adipeuses qui les emmagasineraient.

Bref, les hommes sont équipés pour perdre du poids grâce aux régimes amaigrissants et à l'exercice: ils possèdent des enzymes lipolytiques qui favorisent la dissolution des graisses et da-

vantage de tissu musculaire. Les femmes sont équipées pour
prendre du poids: elles possèdent des enzymes lipogènes rétentrices de graisses et moins de tissu musculaire. Le résultat? La cellule adipeuse féminine entêtée. Localisée sur les hanches et les
cuisses, elle adore emmagasiner les graisses et elle attend impa-
tiemment votre prochain régime amaigrissant.

Quand j'ai fait part de cette information à mes clientes, certaines se sont senties condamnées dès le départ. Comme le disait
l'une d'elles: «C'est ça, la vraie malédiction d'Ève, pas les menstruations!» Malédiction ou pas, c'est ainsi que fonctionne le
corps de la femme. Vous *devez* accepter cette réalité médicale et
travailler en harmonie avec votre physiologie féminine. Trop de
femmes, malheureusement, vont à l'encontre de cette physiologie et recourent en désespoir de cause aux régimes sévères.
Avant d'en arriver là, lisez le prochain chapitre. Dès que vous
entreprenez un régime, votre cellule adipeuse féminine vous
déclare la guerre. N'oubliez pas qu'elle est et sera toujours vic-
torieuse.

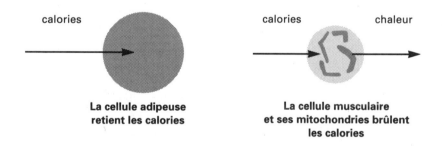

La cellule adipeuse
retient les calories

La cellule musculaire
et ses mitochondries brûlent
les calories

Chapitre 2

On n'affame pas
une cellule adipeuse

La cellule adipeuse s'éveille en souriant.
— C'est aujourd'hui mon jour de chance. On est lundi.
Elle n'a pas pris son petit déjeuner, elle a bu deux sodas diète
ce matin. À midi, elle a grignoté une salade assaisonnée de jus
de citron. En ce moment, elle rêve d'éclairs au chocolat. Je
suis sûre qu'elle s'est encore mise au régime. Prévenons nos 30
milliards de collègues! Nous devons dresser des barricades,
recruter des alliés... Profitons-en! Croissons et multiplions-
nous!

Si les cellules adipeuses pouvaient parler entre elles (et il
me semble parfois qu'elles en sont capables), vraisemblablement
c'est ce qu'elles diraient chaque fois que vous entreprenez un
nouveau régime amaigrissant. Vous aurez beau vous affamer,
vous n'affamerez jamais vos cellules adipeuses. Elles ne vous le
permettront pas. Elles possèdent un mécanisme d'autodéfense
intégré qui assure leur survie.

Si nous faisons ensemble un grand saut dans le passé pour
voir comment s'est développée la faculté du corps à emmagasiner
les graisses, vous comprendrez sans doute mieux pourquoi il est impossible d'affamer une cellule adipeuse. Vous connaissez la théorie
darwinienne de la «survie du plus fort»? Les faibles périssaient et
les forts survivaient, transmettant leurs caractères à la génération

suivante et s'adaptant peu à peu à leur milieu. On en voit beaucoup d'exemples chez les animaux: le cou démesurément long de la girafe qui lui permet d'atteindre les feuilles les plus hautes; la couleur verte de la grenouille qui est un excellent camouflage; la sécrétion malodorante de la mouffette qui la protège de ses ennemis. Chez l'être humain, l'adaptation tributaire de la survie du plus fort signifie très probablement «survie du plus gras».

Il y a des milliers d'années, les périodes de disette étaient fréquentes. Elles étaient la conséquence des sécheresses et des catastrophes naturelles. Beaucoup de gens mouraient de faim, mais certains parvenaient à survivre. Quels étaient ceux qui avaient le plus de chances de ne pas mourir? Ceux qui possédaient le plus de tissus adipeux et le plus grand nombre de cellules graisseuses, car ils disposaient de plus de calories leur permettant de combattre la privation de nourriture. Ainsi, les personnes les plus grasses survivaient et transmettaient leurs caractères à la génération suivante. À mesure que les générations successives héritaient du trait «Plus on est gros, plus on est fort», celui-ci s'affermissait et se raffinait: nous grossissions petit à petit.

Il n'y avait pas que la famine: la période de disette était souvent suivie d'une période d'abondance. Le corps apprit que, plus il emmagasinait efficacement les graisses pendant les périodes d'abondance, plus il grossissait et plus il avait de chances de survivre à la prochaine famine. La conséquence du cycle disette/abondance sur le développement de notre physiologie graisseuse est double:

1. Les personnes possédant les cellules adipeuses *les plus volumineuses* survivaient à la famine et transmettaient ce caractère à leurs descendants;
2. Les personnes qui *emmagasinaient le plus efficacement les graisses* en période d'abondance survivaient à la famine et transmettaient ce caractère à leurs descendants.

Nous avons hérité des cellules adipeuses volumineuses et entêtées qui adorent emmagasiner les graisses et qui détestent y renoncer.

Ainsi, les cellules adipeuses volumineuses et compétentes ont été liées à travers les âges à la survie de la race humaine.

D'où cette théorie de la survie du plus gras. Naturellement, ce mécanisme de survie est plus robuste chez la femme que chez l'homme. Le corps de l'homme veut survivre à environ deux mois de famine. Le corps de la femme veut survivre à neuf mois de famine. Pourquoi neuf mois? C'est l'évidence même: qu'arriverait-il si la famine sévissait pendant une grossesse de la femme? Le corps de la femme veut emmagasiner des graisses non seulement pour sa propre survie, mais aussi pour celle du bébé. Donc, qu'il y ait ou non probabilité immédiate de grossesse, les cellules adipeuses doivent en tenir compte. Elles constituent en quelque sorte une police d'assurance.

Eu égard à cette analyse anthropologique, vous pourriez être tentée de blâmer vos ancêtres pour vos problèmes de poids et vous avouer vaincue. Hélas, ce n'est pas aussi simple. Ce que vous faites aujourd'hui a une plus grande influence encore sur vos cellules adipeuses que ce qui s'est produit il y a des milliers d'années.

Votre corps a reçu sa leçon de survie du plus gras de ses ancêtres, mais vous vous chargez, quant à vous, de le recycler en défense des graisses chaque fois que vous vous mettez au régime et de le recycler en emmagasinage des graisses chaque fois que vous renoncez au régime pour reprendre vos anciennes habitudes alimentaires. L'alternance disette/abondance d'autrefois correspond à l'alternance jeûne/suralimentation d'aujourd'hui.

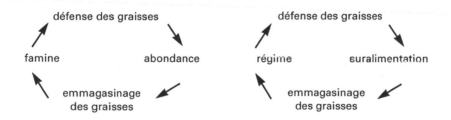

Si seule une information scientifique, quantitative et factuelle peut vous convaincre de l'impossibilité d'affamer une cellule adipeuse quoi que vous fassiez pour y parvenir, poursuivez attentivement votre lecture. Vous verrez comment ce fait est lié à la physiologie de la cellule adipeuse et au système enzymatique.

Quand vous entreprenez un régime, des signaux d'avertisse-
ment déclenchent aussitôt une transformation biochimique. Il se
produit en premier lieu une activation et une multiplication des
enzymes lipogènes rétentrices de graisses. Pendant que vous êtes
au régime, votre corps s'efforce d'emmagasiner le plus de graisses
possible. Mais le but premier de l'activation des enzymes lipogènes est de vous rendre plus apte à emmagasiner des graisses
après votre régime. Les recherches effectuées au Cedars-Sinai
Medical Center et ailleurs démontrent qu'une alimentation à apport calorique réduit peut augmenter au moins du double le
nombre d'enzymes lipogènes. *Les femmes ont déjà un plus grand
nombre d'enzymes lipogènes que les hommes; un régime multiplie ce nombre
par deux.*

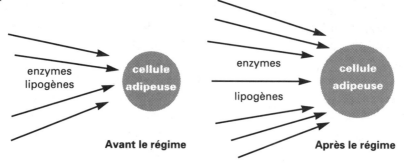

Vos cellules adipeuses, menacées par la famine (votre dernier régime), se protègent en devenant au moins deux fois plus
habiles qu'auparavant à emmagasiner des graisses. La prochaine
fois que vous suivrez un régime amaigrissant, elles auront plus de
chances de survivre, car elles auront augmenté de volume tout
en devenant plus fortes et plus entêtées. Vos cellules adipeuses
ne pensent qu'à leur survie. N'est-ce pas aimable de leur part?

Bien entendu, si vous réduisez votre apport calorique et que
vous perdez du poids, vous perdez aussi du gras, mais vous rendez par le fait même vos cellules adipeuses moins aptes à brûler
les graisses. Votre corps veut conserver le gras, il ne veut pas le
perdre. Je le répète, c'est là un réflexe de survie. Les recherches
démontrent que les régimes amaigrissants peuvent diminuer de
moitié le nombre d'enzymes lipolytiques que possède notre
corps. *Les femmes ont déjà moins d'enzymes lipolytiques brûleurs de
graisses que les hommes; un régime réduit ce nombre de moitié.*

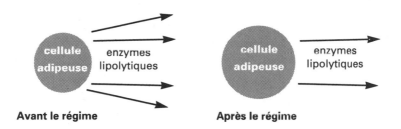

Voilà. La survie du plus gras affecte le système enzymatique. Vous devenez deux fois plus habile à emmagasiner les graisses et à augmenter le volume de vos cellules adipeuses, et deux fois moins habiles à brûler les graisses et à diminuer le volume de vos cellules adipeuses.

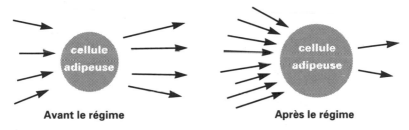

Voilà le résultat d'un seul et unique régime. Qu'arrive-t-il si vous répétez ce cycle dix ou vingt fois? L'effet en est cumulatif. À chaque régime, vous augmentez le nombre d'enzymes rétentrices de graisses et vous réduisez le nombre d'enzymes qui éliminent les graisses. Vous êtes-vous déjà demandé pourquoi, chaque fois que vous suivez un régime amaigrissant, vous perdez du poids plus lentement que la fois précédente, et pourquoi vous le reprenez plus vite une fois le régime terminé? J'espère vous avoir aidée à comprendre ce phénomène. À chaque nouveau régime, vous disposez de moins d'enzymes lipolytiques aptes à dissoudre les graisses et de plus d'enzymes lipogènes rétentrices de graisses. À chaque nouveau régime vous êtes moins bien équipée pour maigrir et mieux équipée pour grossir.

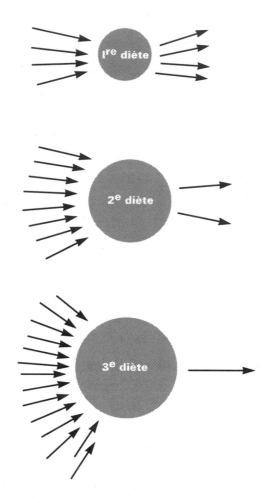

(Ici et ailleurs dans cet ouvrage, le nombre de flèches ne correspond pas avec exactitude au nombre d'enzymes; ces flèches ne servent qu'à vous aider à mieux visualiser l'emmagasinage des graisses et leur dissolution.)

Attendez! En fait de mauvaises nouvelles, ce n'est pas tout! Non seulement vos cellules adipeuses grossissent et se renforcent, mais encore vos cellules musculaires rapetissent et s'affaiblissent. Vos cellules musculaires ne sont pas protégées comme le sont vos cellules adipeuses. *Vos cellules adipeuses ne peuvent pas mourir de faim; mais vos cellules musculaires, oui.*

Les muscles sont des tissus métaboliquement actifs qui ont besoin de calories pour vivre. Plus vous avez de muscles, plus il vous faut de calories. Moins vous avez de muscles, moins il vous faut de calories. Deux raisons font que votre corps renoncera à une partie de sa masse musculaire pour combattre la faim:

1. Pour répondre aux besoins vitaux de votre organisme: il va chercher les calories dont il a besoin dans la masse musculaire.
2. Pour ralentir votre métabolisme de façon à diminuer la quantité de calories dont vous avez besoin pour vivre.

Quand vous entreprenez un régime, votre organisme cherche à réduire votre masse musculaire pour ralentir le métabolisme du corps et conserver son énergie. Une partie du poids que vous perdez est composée de muscles. Cette perte est néfaste. Elle semble positive mais elle ne l'est pas. Moins vous avez de muscles, plus votre métabolisme est ralenti, moins vous pouvez manger, moins vous perdez de poids. Les muscles brûlent des calories. Les graisses emmagasinent des calories. Moins vous brûlez de calories, plus vous les emmagasinez, plus vous grossissez.

Quand vous suivez un régime amaigrissant, votre corps conserve ses calories en perdant une partie de sa masse musculaire et en brûlant moins de calories. Quand une calorie pénètre la cellule musculaire pour y être brûlée, la cellule musculaire sait qu'elle pourrait en avoir besoin et qu'elle doit la conserver:

— J'ai tout intérêt à conserver cette calorie; elle s'est encore mise au régime. Je vais la donner à la cellule adipeuse pour qu'elle l'emmagasine.

Vous vous adonnez sans arrêt à cette technique de conservation. Quand il y a pénurie d'essence, vous faites des réserves. Quand il y a récession, vous économisez votre argent. Quand il y a pénurie de calories, vous économisez votre énergie.

Chaque fois que vous vous mettez au régime, vous devenez économe et vous perdez du muscle. Oui, vous perdez aussi des graisses, mais cette perte de gras est provisoire, alors que la perte de masse musculaire peut être permanente. Chaque fois que vous renoncez à un régime pour retrouver vos anciennes habitudes alimentaires, le poids que vous reprenez n'est pas du muscle, mais du gras. Vos cellules adipeuses possèdent deux fois plus d'enzymes de rétention pour vous aider à accumuler et à emmagasiner rapidement les graisses. Pour reconstituer la masse musculaire, il existe une seule solution: l'exercice.

— Pourquoi ne m'a-t-on pas expliqué la physiologie des graisses avant que j'entreprenne mon premier régime amaigrissant?

Tina s'est engagée dans la montagne russe des régimes il y a six ans.

— À 68 kilos, je me trouvais grosse. Et maintenant regardez-moi: je pèse plus de 84 kilos. Je ne sais pas ce que je donnerais pour peser encore 68 kilos.

Quand Tina fit son premier régime à basses calories, elle pesait environ 68 kilos. À son quatrième régime, ses allers et retours entre perte de poids et gain de poids avaient eu des conséquences dévastatrices.

	Avant la diète	1re diète	2e diète	3e diète	4e diète
Poids total (kg)	68	71	74	80	84
Poids en muscles	49	47	45	43	42
Poids en gras	19	24	29	37	42

Chaque cycle est le résultat d'une perte de poids (muscles et graisses) pendant et d'un gain de poids (graisses seulement) à l'interruption de celui-ci. À la conclusion de son quatrième régime, Tina avait perdu 3 kilos de muscle et pris 7 kilos de graisse. Il n'y a donc pas lieu de s'étonner si, comme tant d'autres, Tina dit qu'elle prend du poids à la seule idée de manger. Ces personnes ont fait plusieurs régimes amaigrissants, elles ont perdu du muscle, accumulé des graisses et ralenti leur métabolisme. Leur organisme requiert de moins en moins de calories et est de plus en plus apte à emmagasiner ces calories réduites et à les transformer en gras.

Il est sans doute temps que nous donnions une définition du mot «régime». À l'origine, ce mot désignait votre alimentation quotidienne, mais la société l'a transformé pour lui donner le sens de «réduction calorique». Lorsque vous réduisez votre apport calorique en deçà de ce dont votre corps a besoin pour fonctionner, il ressent un effet de privation et déclenche son réflexe de défense et de conservation. Plus vous réduisez votre apport calorique et plus vous prolongez votre régime, plus vous perdez du muscle et plus vos cellules adipeuses se défendent. Un régime de 800 calories est plus nocif qu'un régime de 1 200 calories. Un régime de deux mois est plus nocif qu'un régime de deux semaines. Mais même les personnes qui se mettent au régime du lundi au jeudi en ressentiront les effets à long terme sur leurs cellules adipeuses, leur masse musculaire et leur métabolisme. Une restriction calorique de 72 heures suffit à déclencher le réflexe de survie des cellules adipeuses et à faire en sorte que les cellules musculaires se sacrifient.

J'ai beaucoup hésité avant de vous parler de la théorie de la survie du plus gras, mais je crois que c'est ce qui vous convaincra le plus de renoncer à jamais aux régimes amaigrissants.

Et maintenant, êtes-vous bien assise? Alors écoutez: les régimes amaigrissants ne se contentent pas d'augmenter le volume de vos cellules adipeuses, ils augmentent aussi leur nombre. Oubliez la vieille théorie voulant que le nombre de nos cellules adipeuses n'augmente que de la naissance à l'adolescence (pour les femmes). On a récemment fait une découverte bouleversante: les cellules adipeuses peuvent se multiplier en tout temps, et un régime amaigrissant facilite ce processus. Ainsi que nous le disions précédemment, avec chaque régime le corps apprend un peu plus à se défendre et se prépare à subir le prochain régime amaigrissant. *Plus le nombre de vos cellules adipeuses est élevé,* plus vous êtes apte à emmagasiner des graisses et mieux vous survivrez à votre prochain régime. Quand la cellule adipeuse a atteint sa dimension maximale, elle peut se scinder dans le but d'accroître sa capacité de rétention en prévision de votre prochain régime amaigrissant. Si, en ce moment même, vous suivez un régime, il se pourrait que vous soyez en train de donner naissance à une nouvelle cellule adipeuse logée dans vos cuisses. Je sais que c'est horrible — mais vous n'êtes pas au régime, n'est-ce pas? donc, vous empêchez la naissance d'une nouvelle cellule adipeuse.

Voici le fond de la question: si vous voulez prendre du poids, alternez diètes et alimentation normale toute votre vie. Les régimes amaigrissants sont si efficaces quand il s'agit non pas de perdre du poids mais d'en prendre, qu'une des méthodes les plus modernes pour aider les personnes trop maigres à grossir consiste à leur faire faire de courtes diètes suivies de périodes d'alimentation normale.

Si vous voulez emmagasiner encore plus de graisse...
Si vous voulez augmenter le volume de vos cellules adipeuses...
Si vous voulez augmenter le nombre de vos cellules adipeuses...
Si vous voulez diminuer votre masse musculaire...
Si vous voulez ralentir votre métabolisme...
Si vous voulez prendre du poids...

... METTEZ-VOUS AU RÉGIME

Si, en outre, vous voulez mettre votre santé en danger, mettez-vous au régime. La plupart des femmes suivent un régime amaigrissant pour des raisons esthétiques et non pas pour améliorer leur état de santé. Mais si vous avez votre santé à cœur, sachez que vous seriez plus en santé avec quelques kilos en trop plutôt que si vous perdiez ces kilos pour les reprendre plus tard. Supposons que vous pesiez cinq kilos de trop, que vous perdiez ces cinq kilos grâce à un régime amaigrissant et que vous les repreniez après avoir interrompu votre diète: vous multiplieriez les risques d'accidents cardiovasculaires, de cancer et de diabète par rapport à si vous vous étiez contentée de peser cinq kilos de trop. Au cours d'un régime, même si votre poids reste identique, la proportion de gras dans votre corps augmente. Vous êtes donc plus grasse après une diète qu'avant une diète. Ce n'est pas le poids mais le pourcentage de gras corporel qui accroît les risques de maladies.

Quand vous n'êtes pas contente de votre sort, que votre estime de vous-même est au plus bas, que vous vous sentez découragée, il se peut que vous songiez à vous remettre au régime. Une de vos amies a peut-être perdu 15 kilos en suivant le régime dernier cri et elle est splendide. Vous avez une sortie spéciale bientôt et vous voulez être dans votre meilleure forme, c'est-à-dire porter des vêtements de taille 10 ans. Vous venez de lire un article à propos d'un nouveau régime promettant un taux de succès de 95 p. 100. Les régimes amaigrissants sont tentants: ils promettent des résultats rapides, mais ces résultats sont temporaires. Ne croyez pas à ces taux de succès. Apprenez plutôt à lire entre les lignes grâce à l'information acquise dans le présent chapitre.

L'annonce dit «Perdez dix kilos en un mois grâce à ce régime, ou nous vous rembourserons»? Lisez entre les lignes pour mieux comprendre le sens caché de l'annonce: «Perdez dix kilos (trois kilos de muscles) en un mois (et reprenez cinq kilos le mois suivant) grâce à ce régime (restrictif, qui ne vous rassasiera pas et qui ralentira votre métabolisme), ou nous vous rembourserons.»

Qui pourrait, ayant toute sa tête, se laisser tenter par un tel régime? Pas vous, j'espère, quand vous aurez fini de lire ce chapitre. Si l'envie de suivre un régime amaigrissant vous tenaille, relisez ce chapitre encore et encore et encore. Mémorisez la phrase: *On n'affame pas une cellule adipeuse.*

— Je suis absolument découragée. Dans le premier chapitre, vous m'avez dit que parce que je suis une femme, mes cellules adipeuses sont volumineuses et entêtées. Maintenant, vous me dites que le régime augmente et leur volume et leur entêtement. Je suis une *femme* qui a *toujours* suivi des régimes amaigrissants. Y a-t-il de l'espoir pour moi?

Oui, il y a de l'espoir pour vous: le but de cet ouvrage est de vous en donner. La méthode **OFF** travaillera en harmonie avec votre physiologie féminine, corrigera les méfaits des régimes passés et vous aidera à ne plus jamais suivre de régime amaigrissant.

Voici deux choses que nous ne pouvons pas faire:

1. Nous ne pouvons pas comparer des pommes et des poires — la perte de poids doit être envisagée différemment pour les femmes.
2. Nous ne pouvons pas affamer une cellule adipeuse — elle est équipée d'un mécanisme d'autoprotection qui nous en empêche.

Or, que *pouvons-nous* faire pour perdre à tout jamais notre embonpoint et berner nos cellules adipeuses? Nous pouvons suivre la méthode **OFF**. L'exercice ou l'absence d'exercice, les habitudes et les choix alimentaires peuvent nourrir une cellule adipeuse ou la berner. À nous de choisir.

Chapitre 3

La méthode **OFF**:
six stratégies pour berner
les cellules adipeuses

Lorsque Julie, une de mes clientes, m'éveilla un soir en me téléphonant à vingt-trois heures trente parce que ce qu'elle avait à me dire ne pouvait pas attendre, je savais que c'était important. Elle avait rencontré ce soir-là une ancienne compagne d'université qui, n'en revenant pas de sa silhouette, lui avait demandé quel régime elle suivait. Julie rit et lui répondit qu'elle avait renoncé à tout régime amaigrissant un an plus tôt. Cette amie voulut faire courir la rumeur que Julie avait subi une intervention de liposuccion des pieds à la tête, quand Julie lui avoua enfin qu'elle avait «neutralisé ses cellules adipeuses grâce à la méthode **OFF**».

Vous aussi pouvez neutraliser vos cellules adipeuses grâce à la méthode **OFF**, qui préconise une façon de vivre sans régime amaigrissant et saine, capable de berner vos graisses.

Grâce à six stratégies logiques et réalistes fondées sur la façon dont vous vous alimentez et non pas sur ce que vous mangez, vous neutraliserez vos cellules adipeuses. Vous avez «nourri» vos cellules de graisse presque toute votre vie en alternant les régimes et les périodes de suralimentation. Les stratégies de la méthode **OFF** nourriront votre corps, non pas vos cellules adipeuses.

Pour que vous compreniez exactement comment la méthode **OFF** neutralise vos cellules adipeuses, je dois d'abord vous dire ce qui les active. Vous connaissez déjà les effets des œstrogènes, mais permettez-moi de vous donner ici une vue d'ensemble. La hausse du taux d'œstrogènes au moment de la puberté est un commutateur qui établit le courant, activant ainsi les cellules adipeuses des hanches, des fesses et des cuisses. De nombreuses femmes en augmentent encore le voltage par la prise d'anovulants, au moment de la grossesse ou par l'hormonothérapie substitutive.

Quand je déclarai cela à mon mari, il dit: «On dirait bien que les femmes sont des manufactures de graisses. Dommage que vous ne puissiez simplement appeler la compagnie d'électricité et demander qu'on coupe le courant.» La situation n'est pas aussi désespérée, mais comparativement à celles des hommes, les cellules adipeuses féminines ont une plus grande aptitude à la rétention. J'ai eu recours à cette analogie du commutateur qui active ou neutralise la faculté de rétention des cellules pour vous aider à visualiser les facteurs qui peuvent influencer vos cellules adipeuses. Bien sûr, ce n'est pas aussi facile qu'allumer ou éteindre la lumière, mais l'image du commutateur vous rendra plus consciente de ce qui active vos cellules adipeuses et de ce qui les neutralise.

Donc, le simple fait d'être une femme suffit à activer vos cellules de graisse. Il vous est malheureusement impossible de contrôler les effets des œstrogènes sur vos cellules adipeuses. Mais, dans d'autres domaines, vous pouvez faire des choix qui pourraient activer ces cellules.

Suivre un ou des régimes amaigrissants, manger à l'excès, sauter des repas, manger le soir, avoir une alimentation trop

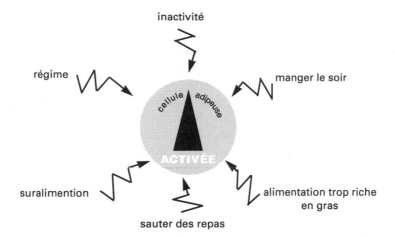

riche en gras et ne pas faire d'exercices, tout cela est aussi efficace que les œstrogènes lorsqu'il s'agit de mettre les cellules adipeuses sous tension en activant les enzymes lipogènes rétentrices des graisses. Mais le beau côté de la chose est que ces habitudes sont *contrôlables*.

Le régime

Comme il en a été question dans le chapitre 2, *le régime est le meilleur ami de la cellule adipeuse*. Les cellules adipeuses ont une excellente mémoire. Vous n'avez qu'à vous mettre au régime une fois de plus pour que vos cellules adipeuses en concluent: «Et voilà, c'est reparti». Elles savent alors exactement ce qu'il leur reste à faire. Puisqu'elles sont menacées et qu'elles ne tiennent pas à mourir de faim, elles assurent leur survie en activant, par les enzymes lipogènes, leur capacité de rétention.

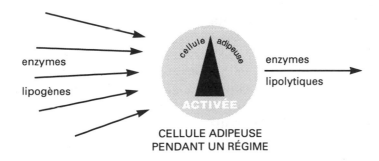

CELLULE ADIPEUSE
PENDANT UN RÉGIME

La suralimentation

La suralimentation est la deuxième meilleure amie de la cellule adipeuse. Chaque fois que vous absorbez plus de calories que ne requiert votre organisme pendant une période donnée, les enzymes lipogènes emmagasinent cet excédent dans vos cellules adipeuses. La graisse est de l'énergie condensée. Si votre corps requiert 500 calories pour fonctionner aujourd'hui à midi et que vous lui en donnez 1 000, ces 500 calories en trop (peu importe leur provenance — pâtes alimentaires, fruits ou biscuits) seront transformées en graisses et emmagasinées.

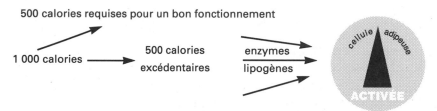

Tant le régime que la suralimentation activent la cellule adipeuse — ces excès sont complices. Ils travaillent de concert et déclenchent un mouvement de balancier ininterrompu entre deux pertes de contrôle. Il ne saurait y avoir de juste milieu. Ou bien vous êtes au régime, ou bien vous traversez une phase de suralimentation.

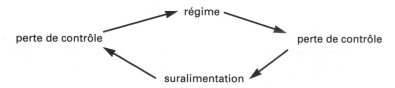

Quel est habituellement le premier jour de votre régime? C'est une question ridicule, n'est-ce pas? Vous entreprenez toujours un régime un lundi. Vous mettriez-vous au régime un vendredi soir? Non. Il vous faut le week-end pour nettoyer le frigo et les armoires en vue du jeûne du lundi. Que mangez-vous pour fêter la fin de votre régime amaigrissant? Vous avez compris: régime/suralimentation, la parfaite alternance pour prendre du poids. Les cellules adipeuses sont constamment sur le qui-vive, prêtes à emmagasiner des graisses.

Sauter des repas

Sauter un repas équivaut à un mini-régime. Les cellules adipeuses détectent les calories comme un radar. Quand vous sautez un repas, vous vous dites: «Voilà 500 calories de moins», mais votre corps, privé de calories pendant des heures, active les cellules adipeuses. En réalité, cette privation calorique vous aidera à prendre du poids. Supposons que vous ayez petit-déjeuné mais sauté le déjeuner. Vraisemblablement, votre corps avait faim à midi, mais vous n'en avez pas tenu compte. Dès que votre corps a compris qu'il ne recevrait pas la nourriture dont il a besoin pour fonctionner normalement, il a fait le nécessaire pour assurer sa survie: il a activé les enzymes lipogènes rétentrices de graisses. Quand vous avez enfin donné de la nourriture à votre corps le soir au dîner, vos cellules adipeuses, qui attendaient ces calories, en ont emmagasiné un plus grand nombre sous forme de graisses. Quand vous sautez un repas, vous ne bernez pas vos cellules adipeuses, vous vous bernez vous-même.

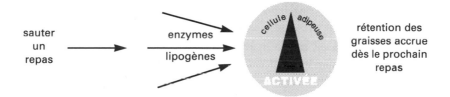

Manger en soirée

Le fait de manger en soirée nourrit les cellules adipeuses. En effet, le soir, votre métabolisme fonctionne au ralenti et vos besoins caloriques sont moindres. Pour la plupart, nous prenons notre repas le plus copieux de la journée au dîner et nous passons ensuite la soirée à grignoter en regardant la télévision. Nous consommons donc un excédent de calories dont notre corps n'a aucun besoin. Cinquante-cinq pour cent des annonces publicitaires diffusées pendant la soirée sont des annonces de nourriture; cela seul suffit à nous pousser vers la cuisine tels des somnambules. Prenons le cas de Virginie: à la pause commerciale, pendant une publicité pour une marque de croustilles, elle va dans la cuisine, prend les croustilles dans l'armoire, se rassoit et vide le sac sans même s'en rendre compte. Presque tout ce que vous mangez le soir n'est pas destiné à votre corps, mais à vos cellules adipeuses.

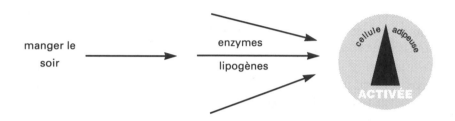

Une alimentation trop riche en gras

Alimentation trop riche en gras et cellule adipeuse grand format vont main dans la main. Les cellules adipeuses adorent le gras et sont indubitablement plus efficaces à l'emmagasiner qu'à emmagasiner les glucides et les protéines. Plus votre alimentation contient du gras, plus ce gras sera emmagasiné dans vos cellules adipeuses. C'est tout à fait logique, il suffit d'y réfléchir. Si vous mangez une baguette de pain français, votre corps en utilisera une partie (environ le tiers de la baguette). Les deux tiers qui restent doivent d'abord être convertis en gras pour pouvoir être emmagasinés dans vos cellules adipeuses. Si vous mangez tout un bâtonnet de beurre (beûrk!), aucune transformation n'est nécessaire. Le beurre est de la matière grasse: il glissera plus facilement dans vos cellules adipeuses.

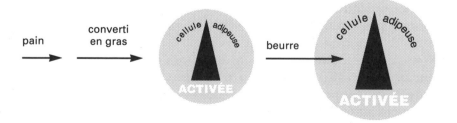

L'inactivité

Le plus important, enfin, est l'inactivité. Les cellules adipeuses en sont parfaitement heureuses. L'absence d'exercice fait que les enzymes lipolytiques éliminatrices de graisses sont trop peu nombreuses pour concurrencer les enzymes lipogènes rétentrices de graisses. Les cellules adipeuses ne manquent de rien et sont parfaitement heureuses. Jusqu'à présent, nous avons parlé de ce qui active et multiplie les enzymes lipogènes en vue de la rétention des graisses. Le *seul* facteur qui pousse les enzymes lipolytiques à éliminer les graisses est une activité physique régulière. Les cellules adipeuses d'une personne inactive ne possèdent pas le système capable de rapetisser le volume des cellules adipeuses: ces enzymes lipolytiques hibernent. Les enzymes lipolytiques des cellules adipeuses d'une personne active travaillent vingt-quatre heures sur vingt-quatre.

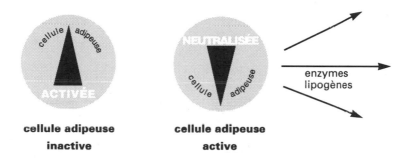

cellule adipeuse
inactive

cellule adipeuse
active

enzymes
lipogènes

Maintenant que vous savez tout sur les cellules adipeuses et ce qu'il faut faire pour les activer et prendre du poids, comment les neutraliser et perdre du poids?

La méthode OFF

La méthode **OFF** comprend un ensemble de six stratégies efficaces qui neutralisent vos cellules adipeuses en faisant exactement le contraire de ce qui les activerait. Par exemple, si le fait de manger pendant la soirée active les enzymes lipogènes, le fait de manger pendant la journée neutralise les enzymes lipogènes

La méthode OFF

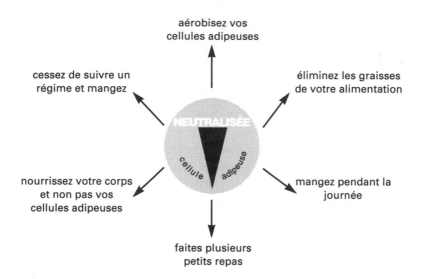

et prévient l'emmagasinage des graisses. Si l'inactivité freine l'action des enzymes lipolytiques, l'exercice les stimule à éliminer les graisses.

Pour activer les cellules adipeuses	Pour neutraliser les cellules adipeuses
Restez inactif	Aérobisez vos cellules adipeuses
Suivez un régime	Cessez de jeûner et mangez
Mangez à l'excès	Nourrissez votre corps, non pas vos cellules adipeuses
Sautez des repas	Mangez moins, plus souvent
Mangez dans la soirée	Habituez-vous à manger de préférence le jour
Ayez une alimentation riche en matières grasses	Éliminez les graisses de votre alimentation

Ainsi qu'il en sera question tout au long de cet ouvrage, les exercices aérobiques sont de loin la stratégie la plus efficace. Même si vous ne faites rien d'autre, faites de l'exercice! Mais si vous voulez berner à tout jamais vos cellules adipeuses, un programme d'exercices aérobiques régulier *et* une alimentation obéissant à la méthode **OFF** sont votre meilleure garantie pour la diminution du volume de vos cellules adipeuses. L'exercice vous aidera à éliminer les graisses, vos habitudes alimentaires vous aideront à prévenir leur emmagasinage. Mes clientes sont toujours étonnées de constater que les stratégies de la méthode **OFF** n'attirent pas l'attention sur ce que vous devez manger ou ne devez pas manger. Ce que vous mangez ne stimule pas vos cellules adipeuses autant que la raison pour laquelle vous mangez, le moment auquel vous mangez et la quantité de nourriture que vous mangez. Vos choix alimentaires ont leur importance pour votre état de santé général, mais c'est l'ensemble de vos habitudes alimentaires qui exerce le plus d'influence sur la neutralisation de vos cellules adipeuses. Une seule stratégie sur six s'arrête aux choix alimentaires — et l'élimination des graisses de votre alimentation est la dernière de toutes!

Nous étudierons chacune de ces stratégies séparément, mais voici comment leur interaction vous permettra de neutraliser vos cellules adipeuses. Avant d'intégrer la méthode **OFF** à son mode de vie, Christine ne faisait pas d'exercice, elle suivait un régime amaigrissant en janvier et en septembre chaque année, elle sautait le repas du midi, elle dînait trop copieusement et trop tard (vers vingt heures), et son alimentation était riche en matière grasses.

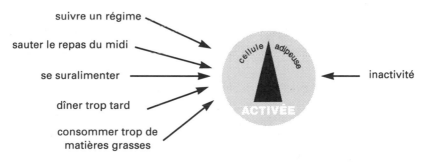

Après avoir suivi la méthode **OFF** pendant environ neuf mois, elle fit un voyage en voilier avec des amis. Ceux-ci avaient peine à croire qu'elle puisse manger autant tout en étant aussi mince et que, contrairement à eux, elle ne grossisse pas de tout le voyage. Selon eux, elle mangeait sans arrêt et aussi souvent qu'elle en avait envie. En réalité, grâce à la méthode **OFF**, elle s'alimentait comme le fait une personne naturellement mince.

Elle ne se privait pas, mangeait quand elle avait faim, prenait plusieurs petits repas de sorte qu'elle se suralimentait rarement, et elle ne mangeait jamais en soirée (exception faite d'un dîner pris à vingt et une heures). En outre, elle faisait des exercices. Le voyage fut pour elle extrêmement agréable et elle berna ses cellules adipeuses par la même occasion.

Voilà donc le fondement scientifique de la méthode **OFF** et voilà comment elle peut neutraliser vos cellules adipeuses. *Grâce à cette méthode, vous transformerez le système enzymatique de vos cellules adipeuses. Vous posséderez plus d'enzymes éliminatrices de graisse que d'enzymes rétentrices de graisse: c'est la seule façon de réduire à jamais le volume de vos cellules adipeuses.* J'espère que la méthode **OFF** vous paraît encourageante et qu'elle vous donne envie de mettre ses stratégies en pratique. Mais avant que vous commenciez, nous allons mettre toutes les chances de votre côté et stimuler votre volonté et votre motivation. Ce sont les deux principaux ingrédients de votre succès.

Chapitre 4

Êtes-vous prête pour
la méthode **OFF**?

Ê tes-vous prête à entreprendre la méthode **OFF**? Sans doute pensez-vous: «Je n'en suis pas sûre» ou «Peut-être le mois prochain» ou «Je ne serai jamais prête». N'oubliez pas: vous *ne vous apprêtez pas* à entreprendre un nouveau régime. Parce qu'il est difficile de suivre un régime, vous devez vous préparer mentalement pour un mois de restrictions, d'isolement et de privation. Je ne vous demande pas de vous préparer à vous priver. Je vous demande de vous préparer à avoir une alimentation différente et naturelle pendant trois mois, un an, dix ans, jusqu'à la fin de votre vie.

Certaines de mes clientes demandent: «À quoi sert de se préparer? Pourquoi ne pas se contenter de le faire?» Parce qu'une bonne préparation est un gage de succès. Passeriez-vous un examen sans vous y préparer? Rencontreriez-vous un employeur éventuel sans vous préparer à cette rencontre? Sans préparation, vous courez le risque d'être recalée à l'examen et de ne pas obtenir l'emploi postulé. Comme dans tout autre domaine, les transformations que vous apportez à votre façon de vivre requièrent de la préparation, la volonté de s'engager et un plan d'action. Songez à d'autres transformations qui ont affecté votre vie: études, mariage, carrière, déménagement dans une autre ville — tout cela n'a-t-il pas été précédé d'une phase préparatoire?

Si vous voulez parvenir à berner vos cellules adipeuses, vous devez vous préparer mentalement à observer la méthode **OFF**.

- Vous devez y croire.
- Vous devez entériner les principes de la méthode **OFF**.
- Vous devez développer une parfaite connaissance du fonctionnement de vos cellules adipeuses féminines.
- Vous devez rayer le mot «régime» de votre vocabulaire et le remplacer par l'expression «mode de vie».
- Vous devez viser non pas une perte de poids temporaire mais une perte de poids permanente.
- Vous devez penser en termes de perte de poids progressive et non pas rapide.
- Vous devez penser en termes de perte de gras et non pas en termes de perte de poids.
- Vous devez vous fixer des objectifs réalistes et accessibles.

La première étape consiste à vous préparer et à vous fournir une infrastructure qui favorisera votre succès. Ce premier pas sera sans doute le plus difficile, car il exige un engagement et de la persévérance de votre part. Vous vous êtes déjà engagée en vous procurant ce livre, en en lisant les trois premiers chapitres, en apprenant à connaître vos cellules adipeuses, en apprenant en quoi elles diffèrent des cellules adipeuses de l'homme et ce qui les active. Il n'en demeure pas moins que le mot *engagement* fait peur.

Jeanne était effrayée à l'idée d'entreprendre une méthode qui durerait jusqu'à la fin de sa vie: «La seule chose à laquelle je me sois jamais engagée jusqu'à ma mort est de me brosser les dents après chaque repas.»

Mais d'où lui vient cette volonté de s'engager à se brosser les dents? D'abord, les parents de Jeanne lui rappelaient sans cesse de se brosser les dents. Ensuite, ils lui inculquèrent l'habitude de les brosser tous les jours. Les bienfaits d'un brossage quotidien, soit une meilleure santé des dents et moins de caries, encouragèrent Jeanne à persévérer. Sa volonté d'engagement, son habitude prirent forme progressivement et de façon très systématique. Pour transformer vos habitudes alimentaires, le processus est le même. Ce ne sera sans doute pas aussi simple que le fait de se brosser les dents, et vos parents ne seront pas là pour vous dire de faire vos exercices ou de manger quand vous avez faim, mais vous acquerrez peu à peu de nouvelles habitudes.

Tout comme Jeanne, vous serez soulagée d'apprendre que les transformations permanentes de la méthode **OFF** sont dues à une série de changements mineurs que vous pouvez intégrer facilement dans votre mode de vie sur une période de trois mois. Si vous vous fixez des objectifs à court terme, ces changements progressifs deviendront permanents. Jeanne n'était pas disposée à s'engager à faire de l'exercice jusqu'à la fin de ses jours, mais elle acceptait de se fixer des objectifs réalistes toutes les deux semaines et d'intégrer l'exercice physique dans sa vie. Croyez-le ou non, au bout de trois mois elle tenait à poursuivre son conditionnement physique.

Voilà comment fonctionne la méthode **OFF**. Grâce aux petits changements des trois premiers mois, vous vous sentez mieux et vous êtes plus motivée à engager le reste de votre vie. Vos nouvelles habitudes remplacent peu à peu vos vieilles habitudes et votre nouveau comportement en vient à n'exiger de vous aucun effort. Les changements que vous avez apportés à votre vie sont si naturels et si réalistes que vous n'y pensez même plus. Un jour, vous vous apercevez que vous faites du conditionnement physique tous les lundis, mercredis et vendredis. Vous commandez spontanément vos sandwiches sans mayonnaise. L'idée de vous servir une deuxième portion aux repas ne vous effleure même pas l'esprit. Vous avez beau être stressée, vous n'avez pas envie de crème glacée. Cette attitude positive, naturelle et saine n'a-t-elle pas plus de sens que de jouer au yo-yo avec les régimes amaigrissants? Les régimes sont néfastes, contre nature et malsains, et ils ne contribuent pas à transformer nos habitudes. La méthode **OFF**, oui.

Donc, êtes-vous prête pour la méthode **OFF**? Les trois questionnaires que nous vous présentons dans ce chapitre ont été conçus pour vous permettre de savoir si vous êtes prête, pour stimuler votre vigilance et pour identifier les changements d'attitude nécessaires au succès du programme de trois mois. Si vous ne transformez pas votre attitude et vos convictions, vous ne changerez pas vos habitudes. Si vous ne changez pas vos habitudes, vous ne transformerez pas votre corps.

Devez-vous vous préparer mentalement à adopter la méthode OFF?

L'opinion que vous vous faites de votre silhouette et de votre poids a nul doute été façonnée par une société obsédée par la minceur et par l'industrie des régimes amaigrissants. Répondez au questionnaire ci-dessous pour découvrir si vos sentiments, votre attitude et vos comportements ont subi cette influence.

	OUI	NON
1. Je me pèse tous les jours.	___	___
2. Mon poids détermine mon bien-être.	___	___
3. Si je prends 500 grammes, je panique.	___	___
4. Je veux perdre du poids rapidement.	___	___
5. Mon poids m'empêche d'atteindre les buts que je me suis fixés dans la vie.	___	___
6. Je veux perdre du poids pour mon mari/la personne que j'aime.	___	___
7. Je veux perdre du poids, car j'ai une soirée importante en vue.	___	___
8. Je veux une silhouette «idéale».	___	___
9. J'évite de me regarder dans le miroir ou d'apercevoir mon reflet dans une vitrine.	___	___
10. Feuilleter les revues de mode me déprime.	___	___
11. Mon poids m'empêche de sortir.	___	___
12. Je n'aime pas mon corps.	___	___

Si vous avez souvent répondu «oui», vous devez vous débarrasser de la «mentalité de régime» et de l'influence de la société, et vous devez faire l'effort de vous préparer mentalement à connaître des transformations durables. Mon expérience démontre que la plupart des femmes répondent «oui» à environ 50 p. 100 de ces énoncés. Si c'est votre cas, vous n'êtes pas seule. Avec l'idéal de minceur que véhicule la société, les femmes ont acquis une image très négative d'elles-mêmes et développé une mentalité de régime.

Avant de commencer à changer vos habitudes, modifiez votre attitude et l'opinion que vous avez de votre apparence.

Oubliez votre pèse-personne. Le pèse-personne ne vous dit pas quelles proportions de muscle et de graisse composent votre corps; il indique uniquement le poids total de vos muscles, de vos graisses, de vos os, de vos organes. Puisqu'il ne lui est pas possible d'évaluer votre perte de graisse et votre gain de muscle, le pèse-personne peut saboter tous vos efforts. Si vous découvrez que vous avez pris un ou deux kilos, vous vous sentez dépressive et vous mangez; si vous découvrez que vous avez perdu un ou deux kilos, vous mangez pour vous récompenser. De toute façon, le cadran du pèse-personne vous incite à manger.

Je n'ai pas de pèse-personne dans mon bureau. Les clientes qui en sont à leur premier rendez-vous jettent un regard circulaire autour de la pièce et disent: «Bien. Où cachez-vous le pèse-personne? Dans le placard?» Quand je réponds que je n'en ai pas, elles s'en étonnent et demeurent parfois un peu perplexes: «Vous voulez dire que j'ai jeûné hier toute la journée pour rien?» Voilà l'effet qu'ont sur vous les pèse-personnes. Rendez-vous service et jetez-le ou rangez-le au fond du garage, au moins pour les trois mois à venir. Ne permettez pas aux chiffres du cadran de vous dicter l'opinion que vous devez avoir de vous-même.

Si vous constatez que vous ne pouvez pas vous séparer de votre pèse-personne, ne vous pesez pas plus d'une fois par semaine et efforcez-vous de considérer cet appareil d'un point de vue rationnel plutôt qu'émotionnel. Souvenez-vous que:

- Une variation de poids quotidienne allant jusqu'à deux kilos est normale et due aux fluctuations de la rétention liquidienne.
- Si vous êtes en période prémenstruelle ou que vous avez consommé récemment plus de sel que d'habitude, l'augmentation de poids peut être due à la rétention d'eau.
- Le poids qu'indique le cadran du pèse-personne ne donne aucune indication quant à votre masse graisseuse et à votre masse musculaire.
- Les muscles sont plus lourds que la graisse. Si, parce que vous faites de l'exercice, vous prenez un kilo de muscle tout en perdant un kilo de graisse, le pèse-personne marquera le même poids mais votre silhouette aura changé.
- Fiez-vous à la tenue de vos vêtements et à votre apparence.

Soyez prête à maigrir progressivement. Si vous désirez une perte de poids rapide, cette méthode ne vous convient pas. Un régime conventionnel promet une perte de poids rapide, mais vous fait reprendre rapidement le poids perdu. Si vous désirez perdre du poids pour toujours, préparez-vous à apporter lentement mais sûrement des changements à vos habitudes alimentaires et à votre corps. Vous avez dû entendre dire que perdre environ un kilo par semaine est «sans danger». «Sans danger» signifie non nuisible à la santé. «Sans danger» n'est pas synonyme de permanent. *Progressivement* est synonyme de permanent.

Décelez la raison d'être de votre embonpoint. Pour certaines femmes, l'embonpoint est un excellent obstacle à leurs ambitions. Après un combat de neuf ans, Barbara a enfin conclu que son excès de poids rendait sa vie plus facile et moins menaçante. Tant qu'elle était obèse, elle ne ressentait pas le besoin d'avoir des ambitions professionnelles ou une famille ni de parfaire son éducation. Son poids lui donnait l'excuse nécessaire pour ne pas vivre pleinement sa vie, en connaître et les succès et les échecs. Dès que Barbara eut admis ce fait et qu'elle se fut prise en main, son embonpoint lui devint inutile et elle put maigrir grâce à la méthode **OFF**.

Votre embonpoint a-t-il une raison d'être? Certaines de mes clientes m'ont dit qu'il leur conférait plus de courage et de force et qu'il était pour elles un moyen de défense. D'autres y voyaient un obstacle aux relations hommes-femmes et aux rapports d'intimité. Si votre excès de poids joue un rôle caché et correspond chez vous à un besoin, vous le maintiendrez jusqu'à ce qu'il vous devienne inutile.

Vous devez vouloir perdre du poids pour vous-même, non pas pour votre mari, votre compagnon, votre mère, votre médecin ou vos amies. Perdre du poids pour les autres apporte rarement des résultats permanents. Il arrive souvent que vous vouliez perdre du poids pour une occasion spéciale: mariage, réunion d'anciens camarades d'université, vacances. Vous ne maigrissez pas pour vous-même, mais dans ce but précis. Dès l'événement passé, vous n'êtes plus motivée et vous grossissez aussitôt. Suzanne avait perdu 10 kilos avant son départ pour Hawaï. Elle reprit 5 kilos pendant le voyage et 5 autres kilos le mois suivant son retour. Cela vous dit quelque chose? Perdez du poids *pour vous-même*, soyez motivée en profondeur, et non pas superficiellement, comme vous le dictent les gens ou les circonstances extérieures. *Pourquoi voulez-vous perdre du poids?*

Sachez quelle est pour vous la «silhouette idéale», une silhouette réaliste et accessible. Pour les femmes occidentales, il est pratiquement impossible de ne pas se laisser influencer par la silhouette idéale dictée par la société. Les messages nous parviennent sans interférence: la beauté réside dans la minceur. Si vous n'êtes pas mince, vous êtes inférieure, marginale, bref, vous avez échoué. La quête de minceur est un produit du vingtième siècle qui ne remonte, en fait, qu'aux trente dernières années. Auparavant, une silhouette féminine de bon ton était voluptueuse, la femme possédait des seins et des hanches. Les tailles 2, 4 et 6 n'existaient même pas. Aujourd'hui, si vous habillez plus grand que 14 ans, *vous* n'existez pas (du moins, dans les grands magasins).

Que s'est-il donc passé depuis trente ans? Nous pourrions rejeter le blâme sur Twiggy, mais en réalité toute l'industrie de la mode subissait à ce moment d'énormes transformations. À mesure que le corps idéal mincissait, la femme nord-américaine moyenne grossissait. Comment s'étonner que dans de telles circonstances la plupart des femmes aient une image négative de leur corps et qu'elles rejettent leur apparence? Peu importe la sévérité de nos régimes, nous n'aurons jamais un corps de mannequin. Le mannequin moyen mesure 1,80 mètre et pèse 52 kilos. La femme moyenne mesure 1,60 mètre et pèse 63 kilos — et elle n'a pas pesé 52 kilos depuis sa puberté. Pour environ 90 p. 100 d'entre nous, le corps idéal est une impossibilité biologique. Le petit pourcentage de femmes pour qui le corps idéal est possible sont sans doute mannequins.

La société continue de trop exiger des femmes. La dernière silhouette idéale en date veut que la femme soit toujours mince, mais en même temps musclée et possédant une forte poitrine. Au secours! Il n'y a guère que la chirurgie esthétique et trois heures de musculation par jour qui puissent nous donner un tel corps. N'en avons-nous pas assez? Que l'industrie de la mode nous dévoile les dernières tendances et cesse de nous imposer une silhouette idéale.

Votre «silhouette idéale» ne vous est pas dictée par les médias, votre voisine ou les tableaux de poids idéal. Votre poids optimal est influencé par plusieurs facteurs, notamment les gènes, la constitution, les grossesses et l'âge. Votre silhouette idéale ne correspond pas au poids que vous aviez à vingt ans, bien qu'on ait pu vous y faire croire comme à un objectif réaliste. À mesure que vous vieillissez, votre métabolisme ralentit et votre corps se transforme. Les grossesses et la ménopause peuvent également redessiner votre silhouette à jamais.

Votre poids santé tient compte de tous ces facteurs. Le poids santé est le poids le plus naturel, celui qui vous fait vous sentir pleine d'énergie et en forme, un poids que vous pouvez conserver sans devoir manger comme un lapin. Réfléchissez au poids que vous voulez atteindre:

- Est-ce un poids réaliste?
- Tient-il compte de l'hérédité et de l'âge?
- Tient-il compte de vos grossesses?
- Avez-vous déjà eu ce poids auparavant? Si oui, avez-vous pu le conserver sans effort et sans vous priver?

Si le poids que vous voulez atteindre, si votre «silhouette idéale» ne sont pas réalistes, vous ne toucherez jamais au but. Réexaminez vos objectifs. Mieux, au lieu de perdre du poids, diminuez votre pourcentage de graisse. Nous reviendrons à cet aspect de la question en fin de chapitre.

Aimez-vous et aimez votre corps dès maintenant. Vous devez accepter votre corps et apprendre à l'aimer. Si vous avez «une culotte de cheval digne d'un cheval de trait» aujourd'hui, vous aurez toujours une certaine culotte de cheval. Si vous avez une poitrine ample, elle le restera même après que vous ayez maigri.

Si vous n'aimez pas votre corps parce qu'il n'est pas «parfait», vous priver de manger ne réglera pas votre problème. La perte de poids ne saurait améliorer l'image négative que l'on a de soi-même. De nombreuses femmes découvrent que la «silhouette idéale» ne les rend pas plus heureuses. Elles détestent toujours autant leurs cuisses, leur travail, leur vie. «Silhouette idéale» et «vie heureuse» ne sont donc pas forcément synonymes.

Quelles qualités trouvez-vous à votre corps? Quand je pose cette question à mes clientes, 9 sur 10 d'entre elles répondent soit «aucune», soit «j'ai de beaux cils». Pour les aider à accepter et à respecter leur corps, je leur demande de l'examiner en détail et de lui trouver au moins une qualité. Elles sont alors agréablement surprises de découvrir que certaines parties de leur corps leur plaisent, ce qui les amène à développer une meilleure image d'elles-mêmes. Voulez-vous essayer? Examinez chacune des parties suivantes de votre corps et efforcez-vous d'y voir du beau. Vous pourriez, par exemple, apprécier la dimension de vos pieds, vos mollets ou la tache de naissance que vous avez au dos. «Rien» n'est pas une réponse acceptable.

Vos pieds: _____

Vos jambes: _____

Votre tronc: _____

Vos bras: _____

Vos mains: _____

Votre tête: _____

En répondant au questionnaire «Devez-vous vous préparer mentalement à adopter la méthode **OFF**?», en devenant plus consciente de vos comportements, de vos sentiments et des raisons qui vous incitent à perdre du poids, vous vous conditionnez déjà à apporter certains changements mineurs et réalistes à votre façon de vivre. Vous commencez à perdre le «réflexe de la cure amaigrissante» et à développer le «réflexe du mode de vie». Si vous avez besoin d'être appuyée dans votre démarche, faites-vous aider par votre famille, par vos amis ou par un conseiller de profession.

Vos facteurs féminins

La société a beau dire que la minceur est souhaitable, votre physiologie vous rappelle qu'un enrobage adipeux est préférable — et votre physiologie a beaucoup plus de pouvoir que la société. Certes, vous ne pouvez rien contre le fait que parce que vous êtes femme, votre corps produit des hormones œstrogènes et un excédent de graisses, mais il est important que vous soyez consciente de tous les effets de ces œstrogènes sur vos cellules adipeuses, effets que nous appelons les «facteurs féminins».

	OUI	NON
Êtes-vous d'âge à être menstruée?	____	____
Avez-vous une silhouette de type poire?	____	____
Prenez-vous des anovulants?	____	____
Avez-vous pris des anovulants dans le passé?	____	____
Êtes-vous tombée enceinte au cours de l'année?	____	____
Avez-vous déjà été enceinte?	____	____
Avez-vous eu deux grossesses ou plus?	____	____
Êtes-vous ménopausée?	____	____
Prenez-vous des hormones de substitution?	____	____
Votre mère souffre/souffrait-elle d'embonpoint?	____	____
Vos sœurs souffrent-elles d'embonpoint?	____	____

Plus vous aurez répondu «oui», plus vos facteurs féminins sont nombreux et plus vos cellules adipeuses risquent d'être entêtées. J'aimerais être en mesure de vous dire que l'état actuel des recherches permet d'évaluer l'importance de l'influence de ces facteurs — en d'autres termes, que si vous avez répondu oui cinq fois, il vous faudra six mois de patience; ou que si vous avez répondu oui huit fois, neuf mois vous seront nécessaires. Mais je *peux* vous dire que plus vos facteurs féminins sont nombreux, plus vous mettrez de temps à maigrir. Ne perdez pas courage: cela signifie que *la méthode OFF est conçue exprès pour vous.* Nous aborderons en détail certains de ces facteurs féminins dans le chapitre 13, mais vous trouverez déjà ci-dessous une brève explication de chacun pour vous aider à mieux les comprendre.

Si vous êtes menstruée, les fluctuations hormonales mensuelles sont normales. Le fait d'être en âge d'avoir des menstruations suffit à activer les cellules adipeuses des fesses, des hanches et des cuisses. Les recherches ont démontré que plus votre silhouette est **piriforme** (en forme de poire), plus vos cellules adipeuses sont sensibles aux effets des œstrogènes et plus vous possédez d'enzymes rétentrices de graisses.

Si vous prenez des **anovulants,** votre masse graisseuse peut passer de 1 à 3 p. 100 en raison de ce supplément d'œstrogènes. Si vous avez pris des anovulants dans le passé, leur influence aura diminué, mais vos cellules adipeuses pourront avoir déjà augmenté de volume au moment où vous preniez la «pilule». Les cellules adipeuses ont une mémoire phénoménale.

Si vous étiez **enceinte** récemment, pendant neuf mois la hausse du taux d'œstrogènes aura énormément stimulé vos cellules adipeuses. Une grossesse sans danger requiert un supplément de graisses, mais il s'avère ensuite très difficile pour la plupart des femmes de perdre ces cinq kilos en trop. En outre, plus vos grossesses auront été nombreuses, plus vous aurez accumulé de graisses, en particulier sur les hanches, les fesses et les cuisses.

Si vous êtes **ménopausée** ou postménopausée, votre taux d'œstrogènes est plus faible mais votre métabolisme fonctionne au ralenti, ce qui occasionne fréquemment un gain de poids. En raison de la faible quantité d'œstrogènes, cet excédent de poids se concentre dans la région de l'abdomen et la répartition des graisses chez la femme ressemble à celle de l'homme. Si vous êtes ménopausée et que vous suivez une **hormonothérapie substitutive,** les cellules adipeuses des fesses, des hanches et des cuisses sont réactivées. Comme me le disait une cliente: «Maintenant, j'ai de la graisse partout!»

Si votre **mère** ou votre **sœur** souffrent d'embonpoint, vous avez peut-être une tendance héréditaire à l'embonpoint. La question de savoir si c'est l'hérédité ou le milieu qui a le plus d'influence sur le poids d'une personne suscite de grands débats: êtes-vous trop grosse parce que votre mère vous a transmis ses gènes ou parce que vous avez grandi dans une famille où l'embonpoint généralisé était dû à l'inactivité et à une mauvaise alimentation? Il s'agit sans doute de la combinaison de ces deux facteurs.

Renoncer aux anovulants, éviter les grossesses, interrompre l'hormonothérapie de substitution et recourir à la chirurgie pour éliminer les gènes responsables de votre embonpoint (désolée, une telle chirurgie n'existe pas) ne sont pas des solutions. Vos gènes sont essentiels à votre féminité. *La solution consiste à admettre l'existence de tous vos facteurs féminins, à vous en servir pour vous fixer des objectifs réalistes et à vous engager encore plus à fond dans la méthode* **OFF** *— car elle a été conçue pour vous.*

Passons maintenant aux bonnes nouvelles. Ces facteurs féminins ont aussi d'indéniables bons côtés. Premièrement, pour être une femme, pour favoriser les menstruations et la gestation, un certain pourcentage de graisses est nécessaire. Quand la proportion de masse graisseuse d'une femme chute en deçà de 18 p. 100, elle perd sa féminité. Ses menstruations cessent ou deviennent irrégulières, ses seins diminuent de volume, et le risque de stérilité augmente.

Deuxièmement, la longévité joue en notre faveur. Les femmes vivent en moyenne huit ans de plus que les hommes. Nous devrions sans doute garder pour nous le secret de cette longévité? Les œstrogènes et la silhouette piriforme sont fortement associés à un taux inférieur de maladies cardiovasculaires, de diabètes et de certains cancers. Si les hommes ont moins de graisse, ils ont le plus souvent une silhouette en forme de pomme et sont plus sujets aux maladies. En ce qui me concerne, j'aime mieux avoir les hanches un peu épaisses qu'être malade. Pas vous?

Quelle est votre pourcentage de gras corporel?

Avant que vous entrepreniez ce programme, il reste encore quelques préparatifs à compléter. Pour être en mesure d'apprécier vos progrès, vous devez mesurer le pourcentage de gras que comporte aujourd'hui votre corps et sa localisation. *Gras* est ici le mot clef. Peu importe votre poids, ce qui compte, c'est votre pourcentage de gras corporel.

COMPOSITION CORPORELLE: **DATE** _____
POIDS: _____
% DE GRAS: _____
POIDS EN GRAS: _____
POIDS EN MUSCLES: _____

MENSURATIONS: **DATE** _____
TOUR DE POITRINE: _____
TOUR DE TAILLE: _____
HANCHES: _____
CUISSES: _____

Ainsi qu'il en a été question dans l'introduction, la perte de poids «réelle» est la perte en gras, non pas en kilos. Il est même bénéfique de prendre quelques kilos, dans la mesure où il s'agit d'un gain de masse musculaire. La seule façon de déterminer les proportions de gras et de muscle de votre corps passe par l'analyse de votre composition corporelle. Il existe pour ce faire plusieurs méthodes, mais les deux suivantes sont celles qui produisent les résultats les plus précis.

1. *La pesée subaquatique.* Cette méthode se fonde sur le principe selon lequel la graisse flotte, étant plus légère que le muscle qui s'enfonce dans l'eau. Si votre corps comporte un important pourcentage de gras, vous flotterez davantage. Votre poids dans l'eau sera donc moindre. Si vous êtes mince et musclée, vous vous enfoncerez davantage dans l'eau, et votre poids subaquatique sera plus élevé. Avec cette méthode, un poids élevé est un facteur positif.

2. *L'évaluation des plis cutanés.* Cette méthode se fonde sur le principe suivant: «Un pli de plus de 2,5 cm est signe d'embonpoint.» Au moyen d'un compas à calibrer, on mesure en la pinçant l'épaisseur de la graisse sur vos bras, vos hanches et vos cuisses (parfois aussi en d'autres régions du corps), pour déterminer le pourcentage de gras de votre corps.

Je conçois bien qu'aucune de ces méthodes n'est agréable — comme le disait une de mes clientes: «J'ai le choix entre me faire jeter à l'eau ou me faire pincer!» — mais aucune n'est douloureuse. Un grand nombre de mes clientes en ont tiré de grands avantages car elles se sont ainsi libérées de leur pèse-personne. Quand elles ont pris conscience de la quantité d'informations provenant de l'analyse de la composition corporelle, elles ne remontent plus jamais sur un pèse-personne.

Le programme de base de trois mois avait enfin convaincu Céline de ne plus s'occuper de son pèse-personne. Elle avait apporté d'importantes modifications à son alimentation et elle faisait de l'exercice quatre fois par semaine. Mais elle avait beau se sentir plus mince et constater que ses vêtements tombaient mieux, elle était frustrée de voir qu'elle avait pris un demi-kilo. Elle voulait enterrer la méthode **OFF** avec ses quelque vingt cures amaigrissantes précédentes, mais je la persuadai de faire analyser de nouveau sa composition corporelle:

	Début	Trois mois plus tard	Changement
Poids total	62,6 kg	63 kg	400 g
% gras	28 %	25 %	- 3 %
Poids en gras	17,69 kg	15,88 kg	- 1,81 kg
Poids en muscle	44,91 kg	47,17 kg	+ 2,27 kg

Cette analyse lui donna l'information dont elle avait besoin pour persévérer, information que ne pouvait lui fournir le pèse-personne. Elle sut qu'elle avait en fait perdu 3 p. 100 de masse graisseuse et près de deux kilos de gras. Elle comprit également que le pèse-personne indiquait un demi-kilo de plus, parce qu'en raison de son programme d'exercices, elle avait pris plus de deux kilos de muscle. Depuis, Céline ne jure que par l'analyse de la composition corporelle.

Seule l'analyse de la composition corporelle vous fournit des renseignements aussi détaillés. Je vous incite donc fortement à y recourir. Pourtant, de nombreuses femmes hésitent, car elles ne tiennent pas à connaître la vérité. Sachez qu'une telle analyse vous procurera les données de base qui vous permettront de mesurer votre progrès. Ce qui compte, ce n'est pas votre état actuel, mais bien le gras que vous aurez perdu dans trois mois. Que votre pourcentage de gras soit de 30, 40 ou 50 p. 100, peu importe. Vous verrez diminuer ce pourcentage; un beau jour, il ne sera plus que de 25 p. 100. Pourquoi 25 p. 100? Parce qu'au-delà de 25 pour cent, les risques de maladie sont plus élevés. Si vous voulez ramener votre masse graisseuse à moins de 25 p. 100, libre à vous. Mais de façon générale, 25 p. 100 est un taux suffisamment bas pour qu'une personne soit en bonne santé et en bonne forme physique.

Si vous décidez de faire analyser votre composition corporelle, optez pour l'une ou l'autre méthode (pesée subaquatique ou mesure des plis cutanés), mais tenez-vous-y. En effet, si vous commencez par la méthode subaquatique, faites effectuer les contrôles subséquents selon la même méthode. Passer d'une méthode à l'autre affectera la précision des résultats.

Chaque technique commande cependant des coûts différents. Pour connaître les taux en vigueur et les endroits où vous pouvez effectuer ce type d'analyses, diététistes, physiothérapeutes, cardiologues, médecins, centres de conditionnement physique, YWCA et YMCA, hôpitaux ou universités peuvent vous renseigner.

Si vous ne voulez pas recourir à cette analyse, vous devrez vous efforcer de concentrer votre attention non pas sur votre poids, mais bien sur vos mensurations. Regardez-vous dans le miroir, remarquez comment tombent vos vêtements, mesurez votre taille, vos hanches, votre poitrine et vos cuisses. Vous pouvez perdre très peu de poids mais transformer radicalement votre silhouette en augmentant votre masse musculaire.

Je le répète une fois de plus: débarrassez-vous du pèse-personne, oubliez votre poids, concentrez-vous sur les transformations de votre silhouette et faites analyser votre composition corporelle. Vous serez plus heureuse, vous verrez votre corps se transformer et vous serez mieux au fait de votre état de santé et de votre forme physique.

J'espère que le fait d'avoir répondu au questionnaire de ce chapitre vous aura mieux préparée à entreprendre la méthode **OFF**. Vous avez pris conscience de vos comportements, de l'image que vous avez de vous-même et de ce qui vous motive. Vous connaissez les effets des œstrogènes sur votre corps. Vous avez fait analyser (j'espère) votre composition corporelle, déterminé votre pourcentage de gras et réévalué vos objectifs.

Êtes-vous prête à entreprendre la méthode **OFF**? Je vous souhaite le succès dans vos efforts pour berner vos cellules adipeuses, et aussi de goûter avec plaisir les étapes qui vous mèneront à un corps plus mince et à un mode de vie plus sain:

- Conservez votre sens de l'humour.
- Engagez-vous à fond.
- Débarrassez-vous de votre pèse-personne.
- Perdez du poids pour vous-même.
- Visez une perte de poids progressive.
- Fixez-vous des objectifs réalistes.

- Aimez votre corps.
- Soyez bien dans votre peau.
- Soyez consciente de vos facteurs féminins et acceptez-les.
- Faites analyser votre composition corporelle.
- Connaissez votre pourcentage de gras.
- Allez-y!

Chapitre 5

Élaboration du programme de trois mois de la méthode **OFF**

Comme la plupart de mes clientes, vous vous dites sans doute quelque chose qui ressemble à: «Tout ça est plein de bon sens. Je crois à l'efficacité de la méthode **OFF**. Je veux bien m'y mettre, pas à pas et avec réalisme. Je suis prête. Mais que dois-je faire?»

Le programme de trois mois de la méthode **OFF** est exactement ce qu'il vous faut. Il vous procurera les outils, les conseils et l'encadrement dont vous avez besoin, il vous forcera à tenir un registre et à mesurer votre progrès pour mieux avoir raison de vos cellules adipeuses féminines. Pourquoi un programme de trois mois? Mon expérience me démontre qu'il faut aux femmes en moyenne trois mois pour que s'enclenche le processus de transformation, pour que leur comportement s'améliore et pour qu'elles remarquent un embellissement de leur silhouette. Après trois mois, vous êtes en mesure de constater l'efficacité de la méthode **OFF**, ce qui vous motivera à persister encore trois mois, encore un an, encore le reste de votre vie.

Vous pourrez toutes observer un changement appréciable dans les trois premiers mois, mais le temps nécessaire à la réalisation de votre objectif dépendra de vous seule. N'oubliez pas que chaque femme est différente; certaines réagiront plus vite que d'autres, certaines constateront que leurs cellules adipeuses sont particulièrement entêtées. Par exemple, Denise a pu remarquer un grand changement au bout des deux premiers mois, tandis que Geneviève n'en a constaté aucun avant le huitième mois. Denise n'avait jamais suivi de cure amaigrissante et n'avait jamais été enceinte. Geneviève avait un enfant, prenait des anovulants, mangeait le soir et s'était mise huit fois au régime au cours des trois dernières années. Plus nombreux sont les facteurs qui activent vos cellules adipeuses, plus il vous faudra de temps pour les berner. Rappelez-vous que les cellules adipeuses sont futées et qu'elles ont une excellente mémoire. Elles se souviennent de vos collations de minuit, de votre régime de janvier dernier et des coupe-faim d'il y a trois ans. *Il vous a fallu un certain temps pour activer vos cellules adipeuses, prenez le temps qu'il faut pour les neutraliser. Il faut de la patience et de la persévérance pour venir à bout d'une cellule adipeuse féminine.*

Le programme de trois mois de la méthode **OFF** convient à *toutes* les femmes de *tout* âge à *toutes* les périodes de leur vie. C'est, bien entendu, le programme idéal pour les personnes qui se mettent sans cesse au régime ou qui se suralimentent, mais il est tout aussi important pour les femmes qui veulent prévenir un gain de poids ou qui doivent lutter contre l'embonpoint pour la première fois de leur vie: par exemple, les femmes qui ont grossi de deux kilos en prenant la pilule; celles dont le métabolisme s'est ralenti à la ménopause; celles qui ont dû devenir inactives à la suite d'une blessure; et celles qui désirent retrouver la silhouette qu'elles avaient avant leur grossesse.

Lori, qui mesure 1,52 mètre, pensait qu'il lui serait impossible de retrouver le poids qu'elle avait avant sa grossesse, soit 42 kilos. Elle n'avait jamais souffert d'embonpoint avant de grossir de plus de 20 kilos (un peu moins de la moitié de son poids total) pendant sa première grossesse. Lorsqu'elle prit rendez-vous, elle me dit qu'il lui serait extrêmement difficile de se mettre au régime. Elle aimait manger et refusait de se priver de quoi que ce soit. Elle fut donc agréablement surprise de m'entendre dire: «Pas de problème.» Après avoir suivi la méthode **OFF** pendant trois mois, la réaction de son corps l'encouragea à persévérer et, dix mois plus tard, elle pesait un demi-kilo de moins qu'avant sa grossesse. Elle en était tellement heureuse qu'elle m'offrit des fleurs et promit de revenir me consulter après la naissance de son deuxième enfant.

La méthode **OFF** convient à toutes les femmes, quels que soient leur âge et leur physiologie. Vous devez cependant l'adapter à vos besoins et faire en sorte qu'elle réussisse pour *vous*. Pour neutraliser vos cellules adipeuses, vous devez connaître les facteurs qui les ont d'abord activées. Les questionnaires qui suivent, correspondant à chacune des six stratégies de la méthode **OFF**, vous feront prendre conscience de vous-même, de la place qu'occupe le conditionnement physique dans votre vie et de vos habitudes alimentaires. En y répondant, vous serez mieux en mesure de donner un ordre de priorité aux stratégies de la méthode **OFF** et de vous concentrer sur celles qui vous semblent le plus correspondre à vos besoins.

STRATÉGIE N⁰ 1: Devez-vous aérobiser vos cellules adipeuses?

Donnez à vos réponses une des valeurs suivantes:

0-Jamais, 1-Rarement, 2-Souvent, 3-Toujours

1. Je préfère le régime à l'exercice. ____
2. Je déteste faire de l'exercice. ____
3. Je grossis quand je fais de l'exercice. ____
4. Je n'ai pas le temps de faire de l'exercice. ____
5. Je trouve toutes sortes d'excuses pour ne pas faire d'exercice. ____
6. J'essaie de faire de l'exercice, mais je ne persévère pas. ____
7. Je me sens trop grosse pour faire de l'exercice. ____
8. Je m'épuise à faire de l'exercice. ____
9. Je fais moins de 45 minutes d'exercice. ____
10. Je fais de l'exercice pour pouvoir manger davantage. ____
TOTAL ____

Stratégie n⁰ 1: Aérobisez vos cellules adipeuses. C'est la tactique la plus importante de toutes! Même si vos réponses totalisaient 0, cette stratégie peut vous aider à élaborer votre programme d'exercices pour que vous brûliez encore plus de calories et que vous neutralisiez vos cellules adipeuses. Si vos réponses totalisent

15 points ou davantage, cette stratégie vous aidera à surmonter les obstacles qui vous empêchent de faire de l'exercice, à persévérer et à développer le programme de conditionnement physique qui convient le mieux à votre personnalité et à votre corps.

On croit généralement à tort que «si vous persévérez pendant six semaines, l'embellissement de votre silhouette vous encouragera à continuer». C'est sans doute vrai en ce qui concerne les hommes, mais pas en ce qui concerne les femmes. Une femme doit persévérer pendant trois mois avant de remarquer un changement appréciable dans sa silhouette.

Pas de panique. Je n'exigerai pas de vous un entraînement de coureur de marathon. Vous ne serez même jamais contrainte à plus de trois séances d'exercice par semaine. L'exercice est, dans l'ordre, la première des tactiques, car elle doit être maintenue tout au long du programme. Ces trois prochains mois, vous vous habituerez lentement et progressivement à intégrer le conditionnement physique dans votre mode de vie. Cette stratégie est la plus importante parce que c'est la seule qui puisse vous faire brûler des graisses (toutes les autres tactiques se limitent à empêcher leur accumulation), mais c'est aussi la plus difficile à mettre en pratique et les femmes l'intègrent difficilement à leur mode de vie. C'est difficile, oui; ce n'est pas impossible!

La notion d'exercice n'est pas nouvelle, mais je lui donne un sens nouveau. Comme dans le cas de toutes les autres stratégies, nous ferons en sorte que l'exercice contribue à la transformation de la physiologie de la cellule adipeuse féminine. Au cours des trois prochains mois, vous devrez obéir à des directives spécifiques pour que l'exercice puisse venir à bout de vos cellules adipeuses, à défaut de quoi, vous pourriez vous entraîner pendant des années sans jamais voir se transformer votre silhouette. Julie me consulta après avoir suivi pendant six mois un programme de conditionnement physique sans que survienne la moindre perte de poids. Un seul changement, qui consista à prolonger la durée de ses séances d'entraînement de 25 à 45 minutes, amena dès le mois suivant des changements remarquables.

STRATÉGIE N° 2: Devez-vous cesser de jeûner et manger?

Donnez à vos réponses une des valeurs suivantes:

0-Jamais, 1-Rarement, 2-Souvent, 3-Toujours

1. Je compte les calories.   ____
2. Je suis au régime, ou entre deux régimes.   ____
3. Je mange des aliments diététiques.   ____
4. Je ne contrôle pas mon alimentation.   ____
5. Le régime est plus important qu'une bonne
    alimentation.   ____
6. J'entreprends un régime le lundi.   ____
7. Je mange pour des raisons émotionnelles.   ____
8. J'ignore ce que signifie avoir faim.   ____
9. J'attends d'être affamée pour manger.   ____
10. Je mange pour ne pas avoir faim plus tard.   ____
TOTAL   ____

Si vos réponses totalisent 15 points ou plus, la *Stratégie n° 2: Cessez de jeûner et mangez,* vous aidera à ne plus jamais suivre de régime amaigrissant. Mieux, elle vous réapprendra à manger. Beaucoup de femmes évitent de se donner la permission de manger parce qu'elles ont peur de grossir. Ne craignez rien. Pour perdre du poids, il vous faut manger, mais vous devez apprendre à manger quand vous avez faim. Selon mon expérience, la plupart des gens mangent parce qu'ils ont faim seulement de 10 à 20 fois sur 100.

Avec les années, nous avons conféré à la nourriture des propriétés thérapeutiques et le pouvoir de nous réconforter. Nous mangeons quand nous sommes dépressives, accablées de stress, d'ennui ou de fatigue, quand nous nous sentons seules ou anxieuses. Nous avons aussi été conditionnées à manger pour des raisons sociales et environnementales qui n'ont rien à voir avec notre appétit. La stratégie n° 2 vous rassurera en vous apprenant à manger parce que votre corps a faim (non pas parce que vos émotions ont faim), et vous aidera à redéfinir vos rapports avec la nourriture.

STRATÉGIE Nº 3: Devez-vous nourrir votre corps,
non pas vos cellules adipeuses?

Donnez à vos réponses une des valeurs suivantes:

0-Jamais, 1-Rarement, 2-Souvent, 3-Toujours

1. Je me sens gonflée après avoir mangé.   ____
2. Je nettoie mon assiette.   ____
3. Je mange trop vite.   ____
4. Il y a deux catégories d'aliments: les aliments
    «permis» et les aliments «interdits».   ____
5. Quand je mange des aliments «interdits», je me
    sens coupable.   ____
6. J'évite les aliments «interdits» et je me prive.   ____
7. S'il s'agit d'un aliment «diététique», j'en mange
    autant que je veux.   ____
8. Je mange des aliments sains en trop grande
    quantité.   ____
9. Je mange trop au restaurant et lors d'occasions
    spéciales.   ____
10. Je mange debout.   ____
TOTAL   ____

Si vos points totalisent 15 ou plus, mettez l'accent sur la *Stratégie nº 3: Nourrissez votre corps, non pas vos cellules adipeuses.* Vous apprendrez à manger une grande variété d'aliments — avec modération. Trop manger signifie absorber plus de calories que ce dont notre corps a besoin pour fonctionner à un moment donné. Chaque fois que vous mangez trop, vous nourrissez vos cellules adipeuses. Ces calories excédentaires, qu'elles proviennent de laitue iceberg ou de crème glacée, votre corps les emmagasine dans vos cellules adipeuses puisqu'il n'en a pas besoin. Plusieurs facteurs peuvent vous inciter à trop manger: il peut s'agir tout simplement d'une mauvaise habitude; ce peut être parce que vous y avez été conditionnée par la société. Vous accordez-vous la permission de manger à l'excès quand...

- Vous allez à une fête?
- Vous allez à une fête et vous ne voulez pas blesser votre hôte?
- Vous mangez au restaurant?
- Vous mangez au restaurant et vous en voulez pour votre argent?
- Vous regardez la télévision?
- Vous regardez la télévision et l'on diffuse une publicité sur la nourriture?
- Vous êtes dans la cuisine?
- Vous êtes dans la cuisine en train de préparer le repas?
- Vous fêtez votre anniversaire?
- Vous fêtez l'anniversaire de quelqu'un d'autre?

Nourrir votre corps ne veut pas dire vous contenter d'aliments contenant peu de calories tels que des salades et des bâtonnets de carottes. Cela signifie au contraire manger avec modération une grande variété d'aliments, quand vous avez faim. Dans la méthode **OFF**, il n'y a pas d'aliments «permis» ou «interdits». Tous les aliments sont égaux du moment que vous nourrissez votre corps.

Cette stratégie est extrêmement importante. Vous auriez beau appliquer toutes les autres tactiques, si vous mangez trop, vous nourrissez vos cellules adipeuses, et votre silhouette a peu de chances de se transformer.

STRATÉGIE N⁰ 4: Devez-vous manger moins, plus souvent?

Donnez à vos réponses une des valeurs suivantes:

0-Jamais, 1-Rarement, 2-Souvent, 3-Toujours

1. Je saute le petit déjeuner. ____
2. Je saute le déjeuner. ____
3. Je prends trois repas équilibrés par jour. ____
4. J'évite de manger entre les repas. ____
5. Entre les repas, j'opte pour des aliments sans valeur alimentaire. ____
6. Si je dîne à l'extérieur, je mange moins pendant la journée. ____
7. J'aime mieux manger que jeter des aliments. ____
8. Je me sens gonflée après le repas du midi. ____

9. Je me sens gonflée après le repas du soir.   ____
10. Un repas complet doit comprendre une viande,
    un légume, un féculent, une salade et un dessert.   ____

TOTAL   ____

Si vos réponses totalisent 15 points ou plus, la *Stratégie n⁰ 4: Mangez moins, plus souvent,* vous aidera à éviter de trop manger aux repas et à fournir à votre corps un apport calorique constant pendant la journée, sans emmagasiner de calories dans vos cellules graisseuses. Je sais que nous avons été conditionnées à penser que nous avons tort de manger entre les repas et que nous devons prendre trois repas équilibrés par jour. Mais si la société qui nous a conditionnées avait tort?

Les collations doivent faire partie d'une saine alimentation. Dans l'esprit de Geneviève, une collation est: «Une tablette de chocolat à 15 h en guise de remontant et un demi-litre de crème glacée le soir, en regardant la télé.» Nous associons collations et aliments vides (sans valeur alimentaire). Mais une collation n'est dommageable que si vous mangez quand vous n'avez pas faim et si vous mangez trop. Quand je demandai à Geneviève de me décrire ce qu'est, selon elle, un repas équilibré, elle répondit: «C'est un repas qui comprend tous les groupes alimentaires, plus un dessert. Il comprend une viande, un légume, des lipides, une salade, du pain, un produit laitier et un dessert.» Si vous mangez ce repas dit équilibré, vous mangez à l'excès.

Cette stratégie vous aidera à modifier l'idée que vous vous faites des collations et des repas, et vous apprendra à manger moins, plus souvent, tout au long de la journée.

STRATÉGIE N⁰ 5: Devez-vous vous habituer à manger de préférence le jour?

Donnez à vos réponses une des valeurs suivantes:

0-Jamais, 1-Rarement, 2-Souvent, 3-Toujours

1. Je mange tard le soir.   ____
2. Je mange avant de me coucher.   ____
3. Le soir, je grignote en regardant la télévision.   ____

4. Le repas du soir est le plus copieux de la journée. ____
5. Je dîne après 18 h. ____
6. Quand je suis seule le soir, je mange sans arrêt. ____
7. Je pille le frigo en pleine nuit. ____
8. Je me prive de manger pendant la journée et je mange trop le soir. ____
9. La première chose que je fais en rentrant du travail ou de mes autres activités, c'est manger. ____
10. Manger m'aide à me détendre dans la soirée. ____
TOTAL ____

Si vous avez totalisé 15 points ou davantage, la *Stratégie n⁰ 5: Habituez-vous à manger de préférence le jour*, vous aidera à transformer vos calories «nocturnes» en calories «diurnes». Puisque votre métabolisme fonctionne au ralenti le soir, plus vous mangez pendant la soirée, plus vous emmagasinez de calories dans vos cellules adipeuses.

Si vous êtes nord-américaine, vous consommez environ 70 p. 100 de votre nourriture après 17 h. Dans les sociétés où le repas le plus copieux est pris pendant la journée, les problèmes d'embonpoint sont moins fréquents. Nous qui mangeons le soir, *nous avons* des problèmes de poids. Notre repas le plus copieux a lieu le soir, après quoi nous grignotons jusqu'à l'heure du coucher. Quand Sarah me demanda: «Devrais-je faire un repas chaud le midi et me contenter d'une soupe le soir?», je sus qu'elle avait saisi le message.

STRATÉGIE N⁰ 6: Devez-vous éliminer les graisses de votre alimentation?

Donnez à vos réponses une des valeurs suivantes:

0-Jamais, 1-Rarement, 2-Souvent, 3-Toujours

1. J'aime le gras. ____
2. J'ajoute du beurre ou de la margarine à mes aliments. ____
3. J'utilise des huiles pour faire la cuisine. ____
4. Je mets de la mayonnaise dans mes sandwiches. ____
5. Je mange dans les bouffe-minute. ____

6. Je mange des fritures. ____

7. Sur les étiquettes, je repère le nombre de calories
   et non pas le pourcentage de matières grasses. ____

8. Je crois que la margarine constitue un meilleur
   choix que le beurre. ____

9. Le cholestérol contenu dans les aliments
   me préoccupe plus que le pourcentage de gras. ____

10. Si l'emballage dit «faible teneur en gras», j'achète. ____

TOTAL ____

Avez-vous 15 points ou plus? Dans ce cas, votre alimentation est riche en graisses. La *Stratégie nº 6: Éliminez les graisses de votre alimentation,* vous aidera à choisir des aliments à faible teneur en gras et à rééduquer vos papilles gustatives.

Puisque nos habitudes alimentaires affectent le plus nos cellules adipeuses, sachez que le gras que l'on mange est emmagasiné dans nos cellules. Plus une alimentation est riche en matières grasses, plus les cellules adipeuses augmentent de volume.

Cette stratégie n'est pas sans raison la dernière de la liste. Dans la plupart des régimes amaigrissants, le choix des aliments est d'importance capitale. Mais pas avec la méthode **OFF**. Les tactiques alimentaires ont ici la priorité, les choix alimentaires viennent ensuite. La seule restriction alimentaire consiste à diminuer votre consommation de gras. On n'élimine pas les glucides et les sucres, on ne réduit même pas leur quantité. Les glucides (pain, pommes de terre, pâtes alimentaires, etc.) ne font grossir que si vous les noyez de beurre ou si vous en mangez trop. Tandis que le gras fait grossir, que vous en mangiez trop ou non.

Élaborez la méthode OFF en fonction de vos besoins

Pour élaborer la méthode **OFF** en fonction de vos besoins, vous devez décider quelles stratégies sont les plus importantes *pour vous*. Notez le pointage de vos réponses aux questionnaires précédents, puis énumérez-les en commençant par le résultat le plus élevé.

QUEL EST VOTRE POINTAGE?   TOTAL

Stratégie N⁰ 1: Aérobisez vos cellules adipeuses.   _____

Stratégie N⁰ 2: Cessez de jeûner et mangez.   _____

Stratégie N⁰ 3: Nourrissez votre corps, non pas vos
cellules adipeuses.   _____

Stratégie N⁰ 4: Mangez moins, plus souvent.   _____

Stratégie N⁰ 5: Habituez-vous à manger de préférence
le jour.   _____

Stratégie N⁰ 6: Éliminez les graisses de votre alimentation. _____

ÉNUMÉREZ VOS RÉSULTATS PAR ORDRE DÉCROISSANT

1. _____

2. _____

3. _____

4. _____

5. _____

6. _____

Constatez-vous que:

- Toutes les stratégies ont la même importance?
- Certaines tactiques vous semblent plus importantes que d'autres?
- Vous mettez déjà en pratique quelques-unes de ces stratégies?
- Vous avez pris davantage conscience de vos habitudes?

En énumérant vos points par ordre décroissant, vous avez identifié les tactiques qui produiront les meilleurs résultats pour vous. Les six stratégies contribueront à venir à bout de vos cellules adipeuses et travailleront en harmonie pour les neutraliser, mais il est essentiel que vous élaboriez le programme en fonction de vos propres besoins. Les stratégies dont le pointage est le plus élevé requièrent le plus d'attention et d'effort pour que vous les intégriez à votre mode de vie.

Un pointage peu élevé ne signife pas que vous deviez faire peu de cas d'une stratégie et passer à la suivante. Toutes ces stratégies sont interdépendantes et chacune contribue à votre succès. Un pointage faible signifie que vous avez déjà quelques habitudes positives. La stratégie correspondante vous permettra de renforcer et de raffiner ces comportements positifs.

Quels que soient les résultats que vous ayez obtenus en répondant aux questionnaires, dites-vous qu'il ne serait pas réaliste de mettre en pratique les six stratégies de la méthode **OFF** en tout temps. Contrairement aux régimes amaigrissants, le plan d'action de la méthode **OFF** n'est pas «tout ou rien», mais flexible et sensé. La vie moderne, nos horaires, les circonstances auxquelles nous devons faire face changent quotidiennement. La méthode **OFF** peut elle aussi être modifiée. Elle est conçue à long terme, c'est-à-dire en fonction de *la moyenne* — qui est un gage de succès — et ne vous demande pas d'avoir de la volonté par bouffées.

Maintenant que vous avez pris conscience de vos habitudes en ce qui concerne l'exercice physique et l'alimentation, et que vous connaissez vos besoins, laissez-moi vous donner un aperçu de ce qui vous attend.

Les trois prochains mois seront subdivisés en segments de deux semaines chacun. Chaque segment comprendra la stratégie n° 1 et une stratégie alimentaire additionnelle. Avec chaque nouvelle tactique, les tactiques précédentes seront maintenues. Au bout de trois mois, vous aurez intégré progressivement à votre mode de vie les six stratégies.

LE PLAN D'ACTION DE TROIS MOIS DE LA MÉTHODE OFF

SEMAINES	STRATÉGIE					
	N° 1	N° 2	N° 3	N° 4	N° 5	N° 6
1 et 2	X	X				
3 et 4	X	X	X			
5 et 6	X	X	X	X		
7 et 8	X	X	X	X	X	
9 et 10	X	X	X	X	X	X
11 et 12	X	X	X	X	X	X

La place qu'occupe chaque tactique dans cette pyramide n'est pas le fruit du hasard. Si l'exercice est au premier rang et dure trois mois, c'est qu'il est le plus apte à vaincre vos cellules adipeuses. Les cinq autres stratégies visent des habitudes alimentaires spécifiques et elles obéissent à un ordre logique naturel. Quand vous cessez de vous mettre au régime, vous commencez à manger. Quand vous commencez à manger, vous devez apprendre à le faire avec modération et à nourrir votre corps, non pas vos cellules adipeuses. Quand vous mangez avec modération, vous mangez moins, plus souvent. Ensuite, vous vous habituez à prendre un plus grand nombre de mini-repas pendant la journée. Enfin, vous préférez des aliments faibles en gras. Vous le voyez: tout se tient.

Parlons un peu plus du conditionnement physique. La stratégie de l'exercice est différente des autres: le conditionnement physique est une partie importante de chaque segment de deux semaines, d'une part parce que les exercices aérobiques sont essentiels au succès de cette méthode, ensuite parce que c'est la stratégie de loin la plus difficile, celle qui exige le plus de volonté.

Pour prendre graduellement l'habitude de faire de l'exercice sans minimiser l'importance de celui-ci, à chaque segment de deux semaines vous prolongerez la durée de l'activité physique qui accroîtra votre aptitude à brûler des graisses. Si vous préférez «mourir plutôt que de faire de l'exercice» ou si votre horaire ne vous a pas permis d'en faire jusqu'à présent, cette approche vous semblera moins menaçante. Songez au nombre de fois où vous vous êtes dit: «Je devrais faire de l'exercice», sans passer à l'action ou sans pouvoir tenir le coup plus d'une semaine ou deux. Sentir que vous devez prendre la décision de faire de l'exercice et de trouver le temps d'en faire peut suffire à vous paralyser.

Voilà pourquoi, avec la méthode **OFF**, vous vous habituerez *graduellement* à faire de l'exercice. Au début, vous n'aurez qu'une séance d'exercice par semaine, ensuite vous en aurez deux, et ainsi de suite — mais vous ne serez jamais contrainte de vous entraîner plus de trois fois la semaine. Tout au long du programme, à chaque segment de deux semaines nous augmenterons le nombre de vos séances d'exercice et leur durée. Le premier mois, vous conditionnerez vos cellules adipeuses à brûler des graisses en activant vos enzymes lipolytiques. Au cours des deux mois suivants, vous atteindrez votre plein potentiel calorifuge. Au bout de trois mois, j'espère que vous serez devenue une adepte du conditionnement physique (ou du moins, que vous lui serez moins réfractaire), ce qui nous permettra de passer à la touche finale décrite au chapitre 12 qui consiste à «changer d'attitude pour aérobiser vos cellules adipeuses».

Si vous faites déjà des exercices aérobiques, bravo! Vous pourrez sauter la phase de motivation et d'entraînement de la volonté et augmenter immédiatement votre potentiel calorifuge.

Ainsi que je l'ai mentionné, chaque segment de deux semaines est fondé sur une stratégie d'exercices et une stratégie alimentaire comportant des objectifs et des actions spécifiques. Les chapitres qui suivent aborderont en détail la façon de vous fixer ces objectifs et les actions pouvant vous aider à les atteindre. En attendant, voici une brève description du travail des trois prochains mois, histoire de vous montrer où nous allons.

SEMAINES 1 et 2

Stratégie OFF: Cessez de jeûner et mangez.

Objectifs OFF: 1. Oubliez les régimes et la mentalité diététique.

2. Apprenez à déceler les signaux de votre appétit et à manger quand vous avez faim.

3. Choisissez un exercice que vous aimez (tolérez?) et faites-le, une fois par semaine, pendant 10 à 15 minutes, avec modération.

4. Si vous faites déjà de l'exercice, ne réduisez pas le nombre de vos séances à une par semaine — continuez ce que vous faites en vous assurant de rester dans la zone lipofuge (intensité moyenne).

SEMAINES 3 et 4

Stratégie OFF: Nourrissez votre corps, non pas vos cellules adipeuses.

Objectifs OFF: 1. Continuez de mettre en pratique les tactiques des semaines 1 et 2.

2. Apprenez à manger quand vous voulez, sans vous culpabiliser et sans excès.

3. Sachez déceler le moment où vous êtes rassasiée et apprenez à arrêter de manger avant d'éprouver une sensation de réplétion.

4. Ajoutez une séance par semaine à votre programme d'exercices (ou deux, si vous vous sentez prête à le faire) et portez la durée de chaque séance à 20 minutes.

SEMAINES 5 et 6

Stratégie OFF: Mangez moins, plus souvent.

Objectifs OFF:
1. Continuez de mettre en pratique les tactiques des semaines 1 à 4.
2. Apprenez à manger moins, plus souvent, tout au long de la journée.
3. Planifiez vos menus en fonction de mini-repas et de maxi-collations.
4. Ajoutez une séance d'exercices à votre programme de la semaine et portez la durée de chacune à 30 minutes.

SEMAINES 7 et 8

Stratégie OFF: Habituez-vous à manger de préférence le jour.

Objectifs OFF:
1. Continuez de mettre en pratique les tactiques des semaines 1 à 6.
2. Harmonisez votre alimentation avec votre métabolisme en consommant plus de calories le jour que le soir.
3. Apprenez à contrôler vos grignotages nocturnes.
4. Continuez à effectuer trois séances d'exercice par semaine (si vous avez envie d'en faire quatre, allez-y) et portez leur durée à 35 minutes.

SEMAINES 9 et 10

Stratégie OFF: Éliminez le gras de votre alimentation.

Objectifs OFF:
1. Continuez de mettre en pratique les tactiques des semaines 1 à 8.
2. Faites en sorte que 20 p. 100 seulement des calories que vous consommez proviennent des matières grasses.

3. Sachez déceler le gras caché des aliments en lisant les étiquettes.
4. Faites chaque semaine trois (ou quatre ou cinq) séances d'exercice de 40 minutes chacune.

SEMAINES 11 et 12

Stratégie OFF: Toutes les six. La méthode **OFF** en vacances.

Objectifs OFF:
1. Continuez de mettre en pratique les tactiques des semaines 1 à 10.
2. Mettez en pratique les six stratégies.
3. Pratiquez ces tactiques lors d'occasions spéciales: vacances, sorties, repas de fêtes.
4. Faites trois (quatre ou cinq) séances d'exercice par semaine de 45 minutes chacune.
5. Notez les changements qui ont marqué vos habitudes en matière d'exercices et d'alimentation.
6. Mesurez votre pourcentage de gras corporel.

Voici donc, *grosso modo*, à quoi ressemblera votre programme des trois prochains mois. Certaines d'entre vous progresseront plus rapidement que d'autres, certaines mettront toutes les stratégies en pratique en même temps, d'autres encore découvriront qu'elles n'ont pas besoin d'un programme aussi structuré (mais rares sont celles qui peuvent se passer d'un certain encadrement). Le plus important est de vous assurer que le programme correspond à vos besoins. Chacune de vous a des habitudes alimentaires différentes et n'aborde pas la question de l'exercice dans une même optique; chacune de vous a obtenu des résultats différents en répondant aux questionnaires; chacune de vous a un mode de vie distinct. Les trois premiers mois de la méthode **OFF** veulent vous orienter dans les changements que vous apporterez à vos habitudes. Au bout d'un certain temps, la méthode cesse d'être un «plan d'action» et se fond à votre personnalité et à votre mode de vie.

Je vous suggère de lire les chapitres qui suivent un à la fois, puis de vous interrompre pour mettre les stratégies du programme en pratique pendant deux semaines. Je sais que vous serez tentée de lire le livre jusqu'au bout. C'est bien, mais quand vous en aurez terminé, revenez au chapitre 6, aux semaines 1 et 2, et mettez le programme en marche.

Je vous ai donné un plan d'action efficace, mais il vous revient de le mettre en pratique, d'atteindre les buts que vous vous êtes fixés et de modeler la méthode **OFF** selon vos besoins. Vous avez su identifier les stratégies les plus importantes dans votre cas. Vous savez comment entreprendre le plan d'action de trois mois de la méthode **OFF**. À votre tour de vaincre vos cellules adipeuses en vous aidant des chapitres qui suivent. Ils vous ouvrent la voie du succès. Bonne chance!

Chapitre 6

Semaines 1 et 2:
Cessez de jeûner et mangez

Quoi? Vous voulez que je mange? Quelle sorte de régime est-ce là?

Justement – il ne s'agit pas d'un régime. Je veux que vous renonciez à tout jamais aux régimes et que vous réappreniez à vous alimenter. Les femmes ont passé une bonne partie de leur vie à jeûner. Je veux que vous renonciez à cette lutte interminable et que *vous vous accordiez la permission de manger quand vous avez faim.*

Pour beaucoup d'entre vous, avoir la permission de manger peut ressembler à un saut terrifiant dans l'inconnu. Mais même si cela vous fait peur, il n'en demeure pas moins que vous devez manger régulièrement pour perdre du poids. Ainsi qu'il en a été question au chapitre 2, intitulé «On n'affame pas une cellule adipeuse», tout régime amaigrissant ne parvient qu'à activer les réflexes de survie de votre masse graisseuse, à augmenter le volume de vos cellules adipeuses et à accroître leur aptitude à emmagasiner le gras. Rappelez-vous notre devise anti-régime: «Si vous voulez grossir, mettez-vous au régime.» Résumons: si vous diminuez votre apport calorique, votre métabolisme ralentit pour survivre à cette privation. Moins vous mangez, moins votre corps a besoin de calories, plus vos cellules adipeuses en emmagasinent, plus vous grossissez. C'est un cercle vicieux: moins vous mangez, plus vous grossissez.

La femme d'aujourd'hui consomme en moyenne 200 calories de moins par jour que la femme de 1960, elle pèse environ trois kilos de plus et elle a suivi au moins 10 régimes amaigrissants depuis quelque 30 ans. Je sais que l'idée de grossir parce qu'on mange moins ne semble pas avoir de sens. Mais ce sont les régimes qui n'ont pas de sens, car au bout du compte, ils nous font grossir au lieu de nous faire maigrir.

Supposons que quelques mois s'écoulent sans que vous vous mettiez au régime. Vos cellules adipeuses commencent à se demander si vous êtes toujours en vie. Elles attendaient fébrilement votre prochaine cure amaigrissante, elles se tenaient prêtes à faire front pour protéger leurs réserves de graisse, et voilà que vous avez un comportement inattendu. Elles s'apprêtaient à affronter la privation de nourriture, et voilà que vous ne vous êtes pas privée, que vous avez continué à vous alimenter. Elles comprendront que la famine ne les menace pas et elles neutraliseront leur mécanisme de survie en même temps que leurs enzymes lipogènes rétentrices de graisses.

cellule adipeuse
prête à combattre

cellule adipeuse
confuse parce que
vous n'avez pas jeûné

cellule adipeuse
neutralisée parce
que vous avez
renoncé aux régimes

Si vous désirez grossir, suivez périodiquement des régimes amaigrissants pour le reste de votre vie. *Si vous désirez perdre du poids, mangez et faites de l'exercice.* Avant de vous parler de l'importance d'une bonne alimentation pour la perte de poids, je voudrais attirer de nouveau votre attention sur le rapport entre les régimes et le gain de poids. Voici le cas de Suzanne: sa fille devait se marier dans six semaines, mais elle attendit à la dernière minute pour perdre les 11 kilos qu'elle avait en trop. Elle prit rendez-vous avec moi, s'attendant que je lui prescrive un régime sévère. Je lui expliquai qu'il faut venir à bout progressivement des cellules adipeuses, et je lui expliquai qu'une perte de poids rapide nourrirait ses cellules au lieu de les affamer. Ce qui pouvait arriver à ses cellules adipeuses laissait Suzanne indifférente. Tout ce qu'elle voulait, c'était perdre son excédent de poids à temps pour le mariage. Elle quitta donc mon bureau dans l'intention de trouver un «régime ultra-rapide au résultat garanti». Avant de la laisser partir, je pris ses mensurations et la priai de revenir me voir après avoir perdu ses 11 kilos. Elle revint, et me consulta aussi après avoir repris ses anciennes habitudes alimentaires, les 11 kilos perdus et même quelques kilos en plus. Voici comment les choses se sont passées.

	Avant le régime	Régime	Après le régime
Poids total	79,38 kg	68,04 kg	81,19 kg
Pourcentage de gras	34 %	30 %	41 %
Poids en graisses	27,22 kg	20,41 kg	33,57 kg
Poids en muscles	52,16 kg	47,63 kg	47,63 kg

Les cellules adipeuses de Suzanne étaient activées. Elle pesait un peu moins de deux kilos de plus qu'avant son régime, mais elle avait accru sa masse graisseuse de six kilos et sacrifié quatre kilos et demi de muscles. En raison de l'augmentation de sa masse graisseuse et la diminution de sa masse musculaire, elle brûlait moins de calories et en emmagasinait davantage. Le gras s'accumule, le muscle élimine. Souvenez-vous que le muscle est composé de tissu métaboliquement actif qui a besoin de calories pour fonctionner. Moins vous avez de muscle, moins vous brûlez de calories. Donc, il n'est pas souhaitable de diminuer sa masse musculaire à moins de vouloir ralentir son métabolisme.

Voulez-vous connaître la fin de l'histoire de Suzanne? Elle a réussi à neutraliser ses cellules adipeuses grâce à la méthode **OFF**. Non seulement elle a perdu les six kilos de gras qu'elle avait pris en suivant un régime, mais elle en a aussi perdu sept autres. Mais ses régimes antérieurs avaient rendu ses cellules adipeuses plus futées et plus résistantes.

J'espère que vous avez enfin décidé de ne plus jamais suivre de régime amaigrissant. Vous êtes très au courant, maintenant, des effets néfastes des régimes, mais parfois, la connaissance ne suffit pas. Denise fit son premier régime amaigrissant à l'âge de cinq ans, quand sa mère consulta pour elle un médecin spécialiste des régimes.

— J'ai fréquenté des camps de vacances pour enfants obèses, des camps de vacances pour enfants au régime, et j'ai participé à tous les programmes d'amaigrissement qu'on peut imaginer. Suivre un régime fait partie de ma vie, cela fait partie de moi. Si je cesse de jeûner, je ne sais plus qui je suis.

Si vous êtes comme Denise, plus vous aurez fait de régimes, plus il vous sera difficile d'y renoncer. Pour certaines femmes, les régimes amaigrissants sont un réflexe conditionné, au même titre que se brosser les dents. Elles entreprennent automatiquement un nouveau régime le premier lundi de chaque mois.

Si vous vous sentez incapable de renoncer dès aujourd'hui aux régimes, efforcez-vous de renoncer à votre mentalité diététique. La mentalité diététique est un état d'esprit qui contrôle vos pensées et vos comportements. Elle réunit toutes les idées reçues et toutes les attitudes qui ont pris forme dans notre société obsédée de minceur: le calcul des calories, les aliments diététiques, les privations, les restrictions. La mentalité diététique vous convainc que «vous contrôlerez votre alimentation et vous perdrez du poids seulement si vous suivez des régimes amaigrissants». Mais c'est le contraire qui est vrai: vous contrôlerez votre alimentation et vous perdrez du poids seulement *si vous ne suivez pas* de régimes amaigrissants.

Mes clientes m'ont fait part d'un certain nombre d'idées reçues fondées sur rien et frisant le ridicule, qui retiennent les femmes prisonnières du fantasme du régime:

- Si vous mangez une tablette de chocolat en buvant un soda diète, ils s'annulent l'un l'autre.
- Si personne ne vous voit manger, ce que vous mangez ne contient pas de calories.
- Ce que votre enfant laisse dans son assiette ne contient pas de calories.

- Si vous plongez directement la main dans le sac ou dans la boîte, les calories ne comptent pas.
- Manger debout brûle des calories.
- Si vous ne mangez que des aliments diététiques, vous ne grossirez pas.

De toute évidence, la mentalité diététique, les idées reçues et les croyances farfelues se fondent sur l'espoir que les calories disparaîtront comme par enchantement. Vous aurez beau connaître par cœur le contenu calorique de 100 000 aliments différents, vous n'aurez réussi qu'à occuper votre cerveau. Vous aurez peut-être, par cet exercice de mémoire, brûlé quelques calories, mais vous n'aurez pas brûlé de graisses. Une calorie n'est une calorie que dans une éprouvette. Vous n'êtes pas une éprouvette. Vous êtes un individu unique possédant sa propre structure génétique, sa propre biochimie, son propre métabolisme. Votre corps et le mien utilisent les calories chacun à leur façon, différente aussi de celle de votre ami, de votre sœur, de votre employeur.

On vous a sans doute dit que vous deviez consommer X calories par jour. Si vous en consommez trop, vous grossirez. Si vous en consommez peu, vous perdrez du poids. C'est sans doute vrai sur papier ou en éprouvette, mais c'est faux dans votre corps. Les calories ne comptent pas. Ce qui compte c'est *comment* vous les consommez et d'*où* elles proviennent: des hydrates de carbone, des protéines ou des matières grasses.

Notre obsession des calories a développé notre dépendance aux produits diététiques. Un grand nombre de mes clientes n'achèteront pas un produit alimentaire si la mention «diète» ou «léger» ne figure pas sur l'emballage. Mais elles croient pouvoir manger autant qu'elles veulent d'un tel produit «diète» sans prendre de poids. Erreur! Votre tête seule sait qu'il s'agit d'un aliment diététique; votre corps, lui, l'ignore.

Voici donc en quoi consiste la section «Cessez de jeûner» de cette stratégie: rendez-vous compte que le calcul des calories et la consommation de produits «diète» alimente (si j'ose dire) la mentalité diététique. Pour vous convaincre encore davantage du fait que les régimes conduisent à l'échec, relisez le chapitre 2, «On n'affame pas une cellule adipeuse».

Venons-en maintenant à la section «Manger» de cette stratégie...

Le jour où je dis à Stéphanie: «Si vous êtes vraiment décidée à perdre du poids, il faut que vous mangiez davantage», elle crut que j'avais perdu la tête. Elle restreignait depuis des années le nombre de calories dans son alimentation et n'en consommait plus que 800 par jour – mais elle grossissait, parce que ses cellules adipeuses étaient maintenant extrêmement aptes à emmagasiner des graisses et que son métabolisme fonctionnait au ralenti. Personne ne la croyait. Son médecin était persuadé qu'elle mangeait en cachette et son mari l'accusait de vider des boîtes de biscuits au bureau. En réalité, elle grossissait en mangeant des salades et des carottes.

J'avais pour but d'amener Stéphanie à manger. J'augmentai graduellement sa quantité quotidienne de nourriture pour stimuler son métabolisme et duper ses cellules adipeuses. Une tranche de pain supplémentaire ou une pomme n'étaient pas suffisants pour qu'elle grossisse, mais pouvaient mettre fin à l'alternance jeûne/emmagasinage des graisses. En moins d'un an, elle en vint à perdre du poids et à consommer environ 1 500 calories par jour. Le cas de Stéphanie est extrême, mais il permet de prendre conscience de l'importance capitale d'une alimentation suffisante pour le métabolisme et la perte de poids. *Pour maigrir, il faut manger.*

Je désire vous aider à acquérir assez de confiance en vous-même pour vous permettre de *manger quand vous avez faim, sans vous culpabiliser.* L'ennui est que la plupart des gens mangent quand ils n'ont pas faim. Lorsque j'étudiais à l'université, je fis une petite enquête très révélatrice sur les raisons qui poussent les gens à manger. J'interrogeai des personnes de toutes sortes, des gens minces et des gens obèses.

— Pourquoi mangez-vous?

Les gens minces et en forme me regardaient avec étonnement avant de répondre aussitôt:

— Parce que j'ai faim.

Les gens pas trop en forme et souffrant d'embonpoint se lançaient dans un monologue de dix minutes et énuméraient un tas de raisons émotionnelles et sociales pour manger. Plus de 50 p. 100 des gens de ce groupe ne mentionnèrent même pas la faim.

Demandez-vous: «Pourquoi est-ce que je mange?» et vous découvrirez les raisons (les excuses?) qui vous font avaler de la nourriture. Voici quelques-unes des raisons préférées de mes clientes:

1. *Je mérite une récompense.* Deux heures dans un bouchon sur l'autoroute: cela vaut bien au moins deux tablettes de chocolat. Vous venez de terminer un projet important? Vous l'avez gagné votre gueuleton au restaurant.
2. *Le syndrome de la Dernière Cène.* C'est peut-être la dernière fois de votre vie que vous voyez du gâteau au fromage. Profitez-en!
3. *Personne ne vous voit.* Ils se sont décidés à partir. Vous pouvez vous gaver de gâteau sans risquer leurs remarques et leurs regards désapprobateurs. Vous pouvez enfin pénétrer dans l'univers hardi de ceux qui mangent en cachette.
4. *Le réflexe de la cuisine.* Vous entrez dans la cuisine, mais vous avez oublié pourquoi. Mais puisque vous y êtes, autant ouvrir l'armoire et voir ce qu'il y a à manger.
5. *Je le vois, je le mange.* C'est là, sur le comptoir de la cuisine. Vous le voyez, vous le mangez. Rien de plus simple.
6. *Après tout, pourquoi pas?* Vous avez trop mangé à midi, et voilà qu'on organise une petite fête au bureau. Vous avez déjà dérogé au déjeuner, alors pourquoi ne pas vous offrir une tranche ou deux de gâteau d'anniversaire?
7. *L'alimentation préventive.* Vous n'avez pas faim, mais si vous aviez faim dans une heure sans rien avoir à vous mettre sous la dent? Mieux vaut manger tout de suite, au cas où.
8. *Le remède miracle.* Vous êtes déprimée, seule, triste. Il vous faut un remède miracle. La crème glacée a depuis toujours des vertus thérapeutiques.

La plupart des gens mangent pour apaiser leur faim environ 20 p. 100 du temps seulement. Ils mangent sans avoir faim environ 80 p. 100 du temps. Si vous mangez sans avoir faim, votre corps n'a pas besoin de ce que vous lui donnez et il l'expédie illico dans vos cellules adipeuses. Si vous mangez quand vous avez faim, votre corps requiert ces calories, de sorte qu'elles passent outre aux cellules graisseuses. Maintenant que vous vous réhabituez à manger, sachez que non seulement vous *avez le droit* de manger quand vous avez faim, mais encore que *vous devez* le faire.

L'échelle appétit/satiété vous aidera à déceler le moment où vous avez faim et à savoir quand manger sans culpabilité. Je vous conseille de noter l'importance de votre appétit à environ toutes les heures, afin de devenir conscient des différentes phases de l'appétit et de la satiété. Je me dois de vous dire que ce que vous mangez est sans importance quand il s'agit de déterminer si oui ou non vous avez faim.

Échelle appétit/satiété de la méthode OFF

10. Vous avez le ventre absolument, irrémédiablement plein à craquer.
 9. Vous avez tellement mangé que vous vous sentez mal.
 8. Vous avez trop mangé; vous éprouvez une sensation de satiété.
 7. Vous ne vous sentez pas bien.
 6. Vous avez un peu trop mangé.
 5. Vous êtes parfaitement rassasiée et à l'aise.
 4. **Votre corps vous prévient qu'il a besoin de nourriture:** légère sensation de faim.
 3. **Votre corps insiste:** grande sensation de faim.
 2. Vous avez si faim que vous êtes irritable.
 1. Vous êtes affamée et la tête vous tourne.

Au-dessus du niveau 4, vous n'avez pas faim et votre corps n'a pas besoin de nourriture. Vous ressentez sans doute un quelconque «appétit» et vous l'interprétez comme un besoin de nourriture, mais si vous mangez, vous ne parviendrez qu'à accroître le volume de vos cellules adipeuses. Vous avez peut-être faim d'une caresse, ou envie de dormir ou de pleurer. Offrez-vous ce dont vous avez réellement besoin.

Tant que vous avez faim, votre corps a besoin de nourriture. Vous voulez avoir faim, mais vous ne voulez pas être affamée. L'échelle appétit/satiété de la méthode **OFF** diffère des autres échelles de même nature en ce que ces dernières vous conseillent d'attendre d'avoir atteint le niveau 1 (ou même 0) avant de manger. Cette façon de faire peut, selon moi, se révéler désastreuse. Quand vous avez faim à ce point, c'est-à-dire quand vous avez beaucoup trop faim, vous courez le risque de perdre le contrôle de votre alimentation. Vous risquez de trop manger, de vous sentir coupable, d'envisager enfin de vous mettre une fois de plus au régime. Le fait d'être affamée marque le début du jeûne.

Au niveau 3 ou 4, votre corps vous indique qu'il a besoin de nourriture et que vous devez manger. Il vous fait savoir que vous pouvez et que vous devez manger sans vous en culpabiliser. *Comment votre corps vous signale-t-il qu'il a faim?*

Si vous avez recours à l'échelle appétit/satiété de la méthode **OFF**, vous reconnaîtrez peu à peu la différence entre une fausse faim et une faim réelle. La fausse faim se manifeste quand ce n'est pas notre corps qui décide pour nous du moment où nous mangeons et des raisons pour lesquelles nous mangeons, mais nos émotions et notre environnement. C'est une faim mentale qui nous pousse à regarder l'heure en nous disant: «Midi, il est temps de manger», sans que notre corps soit nécessairement du même avis. Aidez-vous à faire la différence entre ces deux faims en vous posant toujours la question suivante: «*Est-ce que j'ai vraiment faim?*» et en vous efforçant de déceler avec justesse les sensations qu'éprouve votre corps. À force de vous interroger de la sorte, vous constaterez que vous confondez souvent certaines émotions – anxiété, dépression ou colère – avec des signes d'appétit. Efforcez-vous de reconnaître les indices biologiques de la vraie faim que cachent les indices émotionnels de la fausse faim.

En apprenant à reconnaître les signaux biologiques de votre appétit, vous verrez que l'on peut aisément confondre la faim avec la soif. Si vous ne buvez de l'eau que lorsque vous avez soif, vous ne consommerez que 50 p. 100 environ du liquide dont votre corps a besoin. Nous ne savons trop pourquoi, nos réflexes de soif sont défectueux. Vous pouvez être convaincue d'avoir faim, alors qu'en réalité votre corps essaie de vous dire qu'il a besoin de liquides et non pas d'aliments solides. Assurez-vous-en comme ceci: buvez un verre d'eau, attendez 15 minutes, et voyez si vous avez encore faim. Il se peut qu'une fois désaltérée vous constatiez que vous n'aviez pas vraiment faim.

En buvant de l'eau tout au long de la journée, en hydratant convenablement votre corps, vous saurez avec plus de certitude que vous avez faim et non pas soif. Combien de verres d'eau devriez-vous boire chaque jour?

— Je sais, je sais! Huit!

Tout le monde croit connaître la réponse à cette question. Tous les livres sur la nutrition, tous les régimes amaigrissants, tous les centres de santé et de conditionnement physique vous la donnent, mais en réalité, personne ne la connaît. En effet, si vous effectuiez une recherche ou si vous demandiez à votre médecin quelle est l'origine de la recommandation voulant que nous buvions huit verres d'eau par jour, vous ne trouveriez pas de réponse. Tant de gens boivent huit verres d'eau par jour, passent tout leur temps à la salle de bains et ont l'impression de se noyer. Si huit verres vous paraissent trop nombreux, six vous suffiraient sans doute, ou même cinq. Mon médecin, quant à lui, conseille de boire juste assez d'eau pour que notre urine ne soit pas brouillée. Ce n'est qu'une suggestion, mais pourquoi ne pas vous fier à votre urine?

Il n'y a pas que la soif qui puisse déclencher une fausse faim; le sucre aussi. Pas de panique: je ne vous interdirai pas le sucre. Par contre, je vous conseillerai de ne jamais manger de sucre sur un estomac vide. Je m'explique.

Il est 15 h, vous savez que vous avez réellement faim, et vous avalez une poignée de bonbons. Les bonbons sont composés à 100 p. 100 de sucre, ils se digèrent rapidement et sont absorbés par le sang. Dix à quinze minutes suffisent pour que votre taux de sucre accuse une hausse importante. Cette augmentation du taux de sucre dans le sang peut vous donner un sursaut d'énergie, mais elle est suivie d'une baisse tout aussi rapide. Quand le taux de sucre dans le sang est élevé, le corps sécrète de l'insuline et le sucre est transporté du sang dans les cellules. Ensuite, le taux de sucre chute dans les dix à quinze minutes qui suivent, ce qui peut vous faire croire que vous avez faim. Mais comment se peut-il que vous ayez vraiment faim puisque vous avez mangé des bonbons il y a une demi-heure à peine? Vous ressentez une fausse faim.

Si vous aviez mangé les bonbons avec votre sandwich du midi, votre taux de sucre ne chuterait pas. Le pain contient des glucides et la viande des protéines; ces deux éléments contribuent à ralentir la digestion et l'absorption du sucre par le sang, ils minimisent la hausse du taux de sucre et préviennent la baisse du taux de sucre. *Quand vous mangez du sucre, que ce soit avec un repas.*

Si vous utilisez des édulcorants artificiels, le même conseil prévaut, car ils peuvent eux aussi déclencher un faux signal d'appétit chez certaines personnes. Si vous buvez un thé sucré artificiellement, vos papilles gustatives reçoivent une stimulation et envoient un message au cerveau selon lequel il y a du sucre qui s'en vient, qu'il s'agisse ou non de sucre véritable. Votre cerveau, que la perspective du sucre excite, croit que le taux de sucre dans votre sang montera d'une minute à l'autre et ordonne au corps de sécréter de l'insuline. L'insuline prend le sucre qui est dans votre sang et le transporte dans les cellules. Quand votre cerveau se rend compte «qu'il ne s'agit pas de vrai sucre, mais de pseudo-sucre», une certaine quantité d'insuline a déjà été sécrétée. La conséquence de cela est une baisse du taux de sucre dans le sang, qui peut à son tour stimuler l'appétit.

Pour tromper vos cellules adipeuses, vous devez avant tout apprendre à déceler le moment où vous avez faim, et manger. Faites confiance à votre corps quand il vous donne la permission de manger si vous avez faim.

Maintenant que vous possédez toutes les données de base pour cesser de jeûner et commencer à manger, mettons cette stratégie en pratique.

Plan d'action de la méthode OFF: semaines 1 et 2

Stratégie OFF:	Cessez de jeûner et mangez.
Objectifs OFF:	1. Oubliez les régimes et la mentalité diététique.
	2. Apprenez à déceler les signaux de votre appétit et à manger quand vous avez faim.
	3. Choisissez un exercice que vous aimez (tolérez?) et faites-le, une fois par semaine, pendant 10 à 15 minutes, avec modération.
	4. Si vous faites déjà de l'exercice, ne réduisez pas le nombre de vos séances à une par semaine – continuez, tout en vous assurant de rester dans la zone lipofuge (intensité moyenne).
Techniques OFF:	1. Analysez votre mentalité diététique.
	2. Prenez conscience de vos idées en ce qui concerne le calcul des calories et des aliments diététiques.

3. Relisez le chapitre 2: «On n'affame pas une cellule adipeuse».
4. Sachez reconnaître les émotions qui stimulent votre appétit.
5. Sachez reconnaître les circonstances qui stimulent votre appétit.
6. Servez-vous de l'échelle appétit/satiété.
7. Sachez reconnaître les indices biologiques réels de votre appétit.
8. Posez-vous les questions suivantes: «Ai-je vraiment faim? De quoi ai-je besoin?»
9. Quand vous avez faim, faites le test du verre d'eau.
10. Hydratez suffisamment votre corps.
11. Évitez le sucre dans un estomac vide.
12. Évitez les édulcorants artificiels dans un estomac vide.
13. **Pendant deux semaines, tenez un registre de votre appétit pour vous aider à appliquer ces techniques.**

On vous a sans doute déjà suggéré de tenir un registre alimentaire. Celui-ci est différent. Il concerne votre appétit et non pas les aliments que vous mangez. On ne vous demande pas de compter les calories. On vous demande d'évaluer votre appétit.

Je vous suggère de tenir ce registre environ une fois par heure, afin de parvenir à déceler les signaux biologiques réels de votre appétit et à vous harmoniser avec eux. Ensuite, notez si vous avez mangé et pourquoi vous avez mangé. Voyez l'exemple à la page suivante.

Ces registres ne tiennent compte que de votre appétit et des raisons qui vous incitent à manger. Peu m'importe ce que vous avez mangé et combien, du moins pour le moment. Je veux seulement savoir si vous avez mangé et pourquoi. Nous avons inclus ci-après un registre vierge qui pourra vous servir de guide, mais certaines de mes clientes trouvent plus réaliste d'inscrire ces données dans un petit calepin qu'elles peuvent toujours garder dans leur sac à main ou leur porte-documents.

Si vous mangez déjà quand vous avez faim, renforcez ces comportements positifs en vous assurant de ne jamais être affamée. Une meilleure perception des signaux que nous envoie notre corps quand il a faim peut profiter à tous. C'est la première étape dans ce processus qui consiste à venir à bout de vos cellules adipeuses.

REGISTRE APPÉTIT/SATIÉTÉ
POUR COMMENCER À MANGER

HEURE	APPÉTIT	AVEZ-VOUS MANGÉ?	POURQUOI AVEZ-VOUS OU N'AVEZ-VOUS PAS MANGÉ?
6 h	5	non	pas faim, trop tôt
7 h	4	oui	un peu faim
8 h	5	non	pas faim
9 h	5	non	pas faim
10 h	4	non	trop occupée
11 h	3	non	l'heure du déjeuner approche
12 h	2	oui	je mourais de faim!
13 h	7	non	trop mangé à midi
14 h	6	non	pas faim
15 h	5	oui	besoin d'un remontant
16 h	5	non	pas faim
17 h	4	non	rien à manger
18 h	4	non	dans l'autobus
19 h	3	oui	faim, le dîner était prêt
20 h	6	non	j'ai regardé la télévision
21 h	5	oui	émission ennuyeuse
22 h	7	non	trop mangé, fatiguée, dodo

REGISTRE APPÉTIT/SATIÉTÉ
POUR COMMENCER À MANGER

HEURE	APPÉTIT	AVEZ-VOUS MANGÉ?	POURQUOI AVEZ-VOUS OU N'AVEZ-VOUS PAS MANGÉ?

Première étape pour aérobiser vos cellules adipeuses

Entre le programme d'exercices que je vous propose ici et les autres programmes que vous avez sans doute entrepris (et abandonnés) dans le passé, il existe une importante différence: avec celui-ci, vous commencerez *par le commencement, par la première étape*. Au début, vous ne vous entraînerez pas tous les jours, ni même tous les deux jours, mais seulement une fois par semaine pendant deux semaines. Avouez que cela n'a rien de menaçant.

Ainsi que je le mentionnais plus tôt dans ce livre, l'exercice aérobique est un point important de chacun des segments de deux semaines de ce programme, car c'est la tactique qui peut le mieux vous aider à berner vos cellules adipeuses. C'est le seul moyen à votre disposition pour stimuler les enzymes lipolytiques responsables de l'élimination des graisses. Aucun aliment, aucune pilule, aucune crème ne saurait stimuler ces enzymes. Seul l'exercice aérobique peut y parvenir.

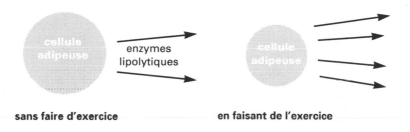

sans faire d'exercice   en faisant de l'exercice

Il convient donc avant tout de conditionner vos cellules adipeuses à éliminer les graisses. En fait, tout le premier mois est un mois de mise en condition. Au cours des deux premières semaines du premier mois, vous n'éliminerez pas beaucoup de graisse, mais vous créerez un milieu propice à cette élimination. Vos cellules adipeuses sont entêtées et ne savent pas comment éliminer les graisses. Avant qu'elles soient en mesure de le faire, vous devez produire des enzymes, et vous devez ensuite apprendre à vos cellules à se servir de ces enzymes pour éliminer les graisses.

Quels exercices peuvent stimuler les enzymes lipolytiques? Uniquement les exercices aérobiques. L'adjectif aérobique signifie «qui contient de l'oxygène». L'élimination des graisses ne saurait se produire sans un apport d'oxygène continu.

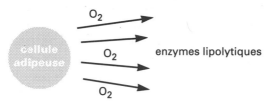

Il arrive toujours un moment où une cliente me demande, en baissant timidement la tête: «Est-ce que la marche est un bon exercice?» Oui, la marche est un excellent exercice aérobique. Un exercice est dit «aérobique» s'il fait intervenir les principaux groupes musculaires (ceux des fesses et des cuisses) dans un mouvement ininterrompu et rythmé. La marche répond à ces critères, tout comme le jogging, l'aviron, le ski de randonnée, la nage, le saut à la corde, la danse aérobique, les exercices aérobiques aquatiques, le «step» et le patin à roulettes – cette dernière forme d'exercice étant la préférée d'une de mes clientes ainsi que monter des escaliers.

Un exercice n'est pas aérobique — et est dit anaérobique — si ses mouvements, au lieu d'être continus, comportent des interruptions. Le tennis, le golf, le ski alpin, la balle-molle sont des exercices anaérobiques. Ils n'entraînent pas une accélération régulière du rythme cardiaque et de la respiration, de sorte qu'ils ne sont pas efficaces quand il s'agit de brûler les graisses. Ils stimulent cependant la masse musculaire et le métabolisme. Si vous appréciez ces activités, continuez de les pratiquer, mais ajoutez un exercice aérobique.

Or, pour quels exercices aérobiques opterez-vous? S'ils sont aérobiques, tous les exercices sont valables. Faites en sorte que votre choix tienne compte de votre mode de vie, de votre horaire de travail et de vos goûts.

- Préférez-vous vous entraîner à l'intérieur ou à l'extérieur?
- Préférez-vous vous entraîner seule ou avec quelqu'un d'autre?

- Appréciez-vous les exercices de groupe?
- Quel(s) jour(s) de la semaine vous convient (conviennent) le mieux?
- Quelle heure de la journée vous convient le mieux?

— Je déteste m'entraîner dehors ou dedans, seule ou avec d'autres, à n'importe quelle heure.

Marlène détestait l'exercice à un point tel qu'il lui fut très difficile de surmonter son négativisme. La seule solution pour elle fut d'acheter le chien dont elle rêvait (un labrador blond) et de lui faire faire sa promenade. Il serait sans doute plus juste de dire que le chien faisait faire sa promenade à Marlène, mais l'important est que le plaisir qu'elle prit à promener son chien suffit à la motiver.

Trouver une amie avec qui vous entraîner peut aussi aider à vous motiver. Si votre amie vous attend à la classe de danse aérobique de 17 h 30, vous risquez moins de vous convaincre de ne pas y aller. Si vous devez rencontrer votre collègue de bureau au gymnase avant le travail, vous risquez moins de vous rendormir.

Pour faire de l'exercice, il faut aimer faire de l'exercice ou du moins le tolérer. N'investissez pas d'argent dans un appareil coûteux à moins d'être certaine d'aimer vous en servir. Combien de bicyclettes stationnaires ou d'appareils à ramer se couvrent de toiles d'araignée dans des garages? Si vous ne savez pas quel exercice vous plairait, commencez par faire de la marche: la marche ne coûte rien et vous pouvez en faire partout. Il suffit d'une bonne paire de chaussures.

Facilitez au maximum cette première étape. Choisissez une journée où vous serez certaine de ne pas avoir à vous presser. Choisissez une heure de la journée qui s'inscrit bien dans votre horaire. Si vous décidez de vous entraîner à 5 h 30, mais que vous n'avez jamais réussi à vous lever avant 6 h, vous avez plus de chances de gagner à la loterie que de sortir du lit à temps. Le milieu de la journée ou le début de la soirée sont sans doute préférables pour le moment. L'heure est sans importance. Ce qui compte, c'est que vous le fassiez.

En premier lieu, vous devez choisir un exercice aérobique; en second lieu, vous devez le pratiquer avec modération.

— Voulez-vous dire que je n'ai pas à avoir l'impression que je suis sur le point de faire un infarctus?

Absolument. Seul l'exercice modéré pourra stimuler vos enzymes lipolytiques. Voici pourquoi: tant l'exercice trop tranquille que l'exercice violent transportent une quantité insuffisante d'oxygène aux cellules adipeuses. Si vous vous promenez avec nonchalance en faisant du lèche-vitrines, votre corps ne travaille pas assez, votre rythme cardiaque et votre respiration ne s'améliorent pas. Si vous vous efforcez de briser le record mondial du 100 mètres, votre corps travaille trop et vous êtes à bout de souffle. Seul l'exercice pratiqué avec modération peut accélérer graduellement votre rythme cardiaque et votre respiration, approvisionnant ainsi suffisamment vos cellules adipeuses en oxygène.

La plupart de mes clientes découvrent qu'elles ont fait trop d'exercice.

— Tant qu'à m'entraîner, autant donner le maximum.

C'est l'attitude voulant que «si ça ne fait pas mal, ça ne vaut rien». Si vous vous entraînez avec trop d'intensité, vous ne constaterez aucun changement dans votre corps, car les enzymes lipolytiques n'auront pas été activées. Au lieu d'aller chercher les graisses dont il a besoin pour brûler de l'énergie, votre corps prendra des sucres (et aussi un peu de muscle), qui seront immédiatement disponibles.

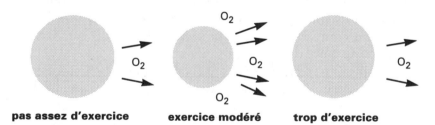

pas assez d'exercice   exercice modéré   trop d'exercice

Comment être sûre que vous vous entraînez avec modération? Il existe plusieurs façons de savoir si vous brûlez des graisses en vous entraînant avec modération. En général, on calcule le rythme cardiaque visé au moyen d'un graphique.

Bien entendu, vous pouvez recourir à cette méthode, mais elle n'est pas toujours exacte et elle peut se révéler complexe. La plupart des gens éprouvent de la difficulté à sentir leur pouls, et, de toute façon, ils ne peuvent pas compter, regarder l'heure et marcher en même temps. Si vous choisissez la méthode du rythme cardiaque visé pour évaluer l'intensité de votre entraînement, le calcul à faire est le suivant:

(220 - votre âge) x 60 % = rythme minimal visé
(220 - votre âge) x 75 % = rythme maximal visé

Par exemple, si vous êtes âgée de 40 ans:

220 - 40 = 180 x 60 % = 108 battements/minute
220 - 40 = 180 x 75 % = 135 battements/minute

Votre rythme cardiaque visé se situe entre 108 et 135 battements à la minute.

Pour vous entraîner avec modération, vous devez rester à l'intérieur de cette zone, entre le rythme minimal et le rythme maximal visés.

Je vous propose quant à moi une méthode différente, plus facile et plus exacte, basée sur votre rythme respiratoire. C'est le test-chanson. Peu importe que vous soyez incapable de chanter juste ou que vous soyez chanteuse d'opéra, pendant que vous ferez vos exercices, chantez les premiers vers d'une chanson que tout le monde connaît: *Frère Jacques*. Pourquoi cette chanson? Je m'explique.

Vous vous souvenez des premiers vers de cette chanson? «Frère Jacques, Frère Jacques, dormez-vous? dormez-vous?» Si vous pouvez chanter ce vers sans respirer, vous ne vous entraînez pas avec assez d'intensité pour livrer aux cellules la quantité d'oxygène dont elles ont besoin. Si vous devez respirer après chaque mot, vous êtes à bout de souffle et vous vous entraînez trop violemment. Si vous respirez trois fois à intervalles réguliers, vous vous entraînez avec modération.

Frère Jacques, Frère Jacques (respirez), dormez-vous? (respirez) dormez-vous? (respirez).

J'adore les échelles d'évaluation. En voici une autre qui vous aidera à déterminer si oui ou non vous brûlez des graisses. Cette échelle vous permettra de mesurer le degré d'intensité de votre entraînement et votre capacité cardiovasculaire.

10. Appelez l'ambulance.
9. Horriblement, douloureusement pénible.
8. Extrêmement difficile, respiration laborieuse.
7. Très difficile, la respiration devient ardue.
6. **Assez difficile, chanter est possible.**
5. **Moyennement difficile, chanter est possible.**
4. **Un peu difficile, chanter est possible.**
3. Facile, respiration stable.
2. Très facile, presque immobile.
1. À peine éveillée.
0. Inconscience béate.

Aux niveaux 4, 5 et 6 se situe la zone lipofuge, soit celle qui favorise l'élimination des graisses: ce n'est ni trop difficile ni trop facile, vous pouvez chanter, vous vous entraînez avec modération. Je vous conseille de mesurer votre respiration environ toutes les cinq minutes au moyen de cette méthode. Elle vous permettra d'accroître ou de diminuer l'intensité de votre entraînement au fur et à mesure des besoins.

— Je comprends ce que «modération» veut dire, mais combien de temps doit durer une séance d'exercices aérobiques?

Ce qui compte, pendant les deux premières semaines, c'est que vous les fassiez, peu importe pendant combien de temps. Visons dix à quinze minutes. Si vous vous sentez capable d'en faire plus longtemps, bravo! Si vous vous entraînez déjà, ne ramenez pas votre séance à dix ou quinze minutes, mais assurez-vous que vous vous entraînez avec modération pour bien brûler vos graisses. L'important est que vous fassiez vos exercices à votre rythme. Entraînez-vous moins longtemps pour commencer, puis prolongez la durée de l'exercice jusqu'à dix ou quinze minutes. Un exercice modéré ne devrait jamais être douloureux. Vous ne devez pas avoir l'impression que vos cuisses sont passées dans un hachoir à viande. Vous ne devez pas avoir l'impression que votre cœur va bondir de votre poitrine. Si vous ressentez une douleur quelconque, arrêtez et consultez votre médecin. Si vous avez un problème cardiaque ou tout autre problème de santé, assurez-vous, avant de commencer, que votre médecin approuve le programme d'exercices que vous avez choisi.

Chapitre 7

Semaines 3 et 4: Nourrissez votre corps, non pas vos cellules adipeuses

Vous voulez dire que je peux manger de la crème glacée quand j'en ai envie? Je serai partenaire majoritaire chez Laura Secord avant d'avoir 40 ans!

Telle a été la réaction de Suzanne quand je lui ai parlé de la méthode **OFF**.

— Oui, vous pouvez en manger, mais à la condition d'avoir faim et de ne pas en manger à l'excès. Vous avez le droit de manger tout ce que vous voulez du moment que vous nourrissez votre corps et non pas vos cellules adipeuses.

Si vous voulez vraiment nourrir votre corps, non pas vos cellules adipeuses:

mangez ce que vous voulez
quand vous avez faim
n'en mangez pas à l'excès

Bien entendu, j'aimerais que tout le monde prenne des repas équilibrés et ait une alimentation saine, mais je crois aussi que nous devons manger ce dont nous avons envie. Si je vous disais que jamais plus vous n'auriez droit au chocolat, vous vous précipiteriez à la première confiserie venue pour en acheter deux kilos. On désire toujours ce qui nous est interdit. Certaines de mes clientes m'ont ainsi mise au défi.

— Vous, une diététiste, vous me dites de manger des truffes si j'en ai envie?

Oui, j'aime mieux que vous vous offriez une truffe de temps à autre, quand vous en avez vraiment envie, quand vous avez faim, plutôt que de vous en priver longtemps et d'en gober ensuite 12 d'un coup. Manger une douzaine de truffes dans un moment d'inconscience est bien plus néfaste pour le corps et pour la santé que le fait d'en déguster une de temps à autre.

Permettez-moi de me citer en exemple. La pizza est ce que j'aime le plus au monde. Quand je jeûnais, je me privais de pizza au profit d'un repas tout ce qu'il y a de plus diététique: poitrine de poulet sans peau, fromage cottage et bâtonnets de carottes. Je passais ensuite la soirée à fouiller dans le garde-manger de la cuisine pour satisfaire mon appétit. Six cents calories plus tard, toujours pas rassasiée, je commandais une pizza que je mangeais en entier. Maintenant, quand la pizza me tente, j'en mange avec modération et je suis parfaitement rassasiée et heureuse.

Vous croyez sans doute que manger ce dont vous avez envie signifie manger des «aliments vides», sans valeur alimentaire. Si vous avez envie d'aliments vides, c'est probablement parce qu'ils sont «interdits» ou «malsains» à vos yeux et que vous vous en privez. Si vous vous accordiez la permission d'en manger avec modération quand vous avez faim, vous n'en auriez sans doute pas envie aussi souvent. Voyons cela de plus près. Certaines de mes clientes voient un lien très net entre ce manque/désir et les régimes protéinés auxquels elles s'étaient astreintes.

— Vous avez absolument raison! Quand je n'avais droit qu'à de la viande et des œufs, j'avais parfois d'irrépressibles fringales de fruits!

Peu importe ce qui vous est interdit, vous en voulez, vous en avez envie.

Quand Suzanne mit ma méthode en pratique et qu'elle s'accorda la permission de manger de tout ce dont elle avait envie, elle se gava de crème glacée pendant une journée entière — petit déjeuner, déjeuner, dîner. Aussitôt, la crème glacée prit à ses yeux une autre signification. Elle n'était plus synonyme de jeûne, de bien-être, d'extase. C'était un simple aliment qu'elle pouvait choisir de manger quand elle en avait envie, du moment qu'elle avait faim et qu'elle n'en mangeait pas à l'excès. Si elle voulait de la crème glacée pour son déjeuner, elle s'en offrait sans en faire un drame!

Vous ne souffrirez pas de malnutrition si vous mangez de la crème glacée ou quoi que ce soit d'autre à midi. La plupart des gens pensent qu'ils doivent d'abord manger une soupe et un sandwich pour avoir droit à un dessert de crème glacée. Mais alors vous *mangez à l'excès* et vous *emmagasinez* la crème glacée dans vos cellules adipeuses. Si vous vous étiez contentée de crème glacée à midi et que vous aviez opté pour des aliments plus nutritifs plus tard dans la journée, vous auriez eu votre ration de vitamines et vous n'auriez pas emmagasiné la crème glacée dans vos cellules adipeuses.

Je ne dis pas que vous pouvez toujours vous nourrir de gras, de sucre ou d'aliments vides parce que vous croyez en avoir envie. Non, une bonne alimentation est essentielle. Si vous portez réellement attention aux messages de votre corps, vous aurez envie de toute une variété d'aliments: fruits, légumes, glucides, protéines, parfois aussi gras, sucre et sel.

Si vous portiez attention à ce que les personnes «naturellement minces» mangent, vous constateriez qu'elles ont une alimentation très variée allant des pommes aux croustilles et du poulet aux cheeseburgers. Ces aliments ne les font pas grossir parce qu'elles mangent quand elles ont faim et qu'elles ne mangent pas à l'excès. Elles peuvent ouvrir le sac de croustilles, en prendre une poignée, et remettre le sac dans l'armoire. Quant à vous, vous vous placez dans une position stratégique, droit devant le sac, et vous ne bougez pas tant qu'il n'est pas vide.

Le secret consiste à manger ce dont vous avez envie, quand vous avez faim, et sans en manger à l'excès. Facile à dire, mais plus difficile à faire. Pour vous aider, sachez quel effet trop manger peut avoir sur vos cellules adipeuses. Quand vous mangez à l'excès, les calories en trop vont se loger dans les cellules adipeuses, d'où qu'elles viennent. Elles sont emmagasinées dans vos cellules adipeuses, partout sur votre corps et plus particulièrement sur les hanches, les fesses et les cuisses. Je répète: ce que vous mangez est sans importance. Si vous mangez trop, cet excédent, quel qu'il soit, ira se loger dans vos cellules adipeuses.

Les pommes, par exemple: y a-t-il un aliment plus sain? Comment peuvent-elles nous faire grossir? Si, aujourd'hui à midi, votre corps a besoin de deux pommes, pas une de plus, et que vous en mangez six, les quatre pommes en trop seront transformées en graisse et emmagasinées.

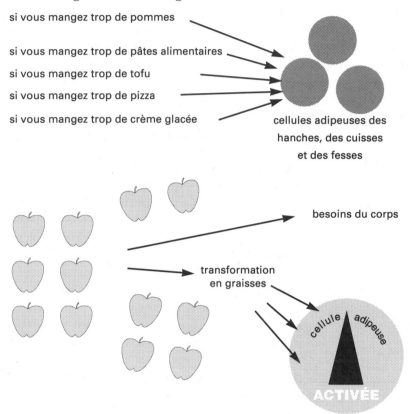

si vous mangez trop de pommes

si vous mangez trop de pâtes alimentaires

si vous mangez trop de tofu

si vous mangez trop de pizza

si vous mangez trop de crème glacée

cellules adipeuses des hanches, des cuisses et des fesses

besoins du corps

transformation en graisses

cellule adipeuse

ACTIVÉE

Si votre corps requiert les calories en question, il les utilisera. S'il n'en a pas besoin, il les emmagasinera sous forme de graisses. Vous auriez beau manger l'aliment le plus sain de la terre, si vous en mangez à l'excès il vous fera grossir. Une de mes clientes se gavait de biscuits, de gâteaux, de tartes et de crème glacée. Elle a cru que si elle se gavait plutôt de craquelins à faible teneur en gras, de pain croûté et de yogourt glacé sans gras, elle pourrait perdre du poids. Naturellement, parce qu'elle continuait de trop manger, elle n'a pas maigri du tout.

Donc, si la sous-alimentation (comme nous l'avons dit au chapitre précédent) et la suralimentation contribuent toutes deux à nourrir vos cellules adipeuses, que devez-vous faire? Manger avec modération. Quand vous mangez avec modération, vos cellules adipeuses s'ennuient et ne s'intéressent à rien. Vos enzymes lipogènes ne sont pas stimulées et vos cellules adipeuses sont neutralisées.

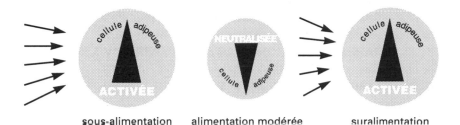

sous-alimentation   alimentation modérée   suralimentation

En quoi consiste au juste une alimentation modérée? Il n'existe pas de définition exacte. Ce serait la quantité d'aliments dont votre corps a besoin pour fonctionner normalement et s'épanouir. Si je conseillais à toutes mes clientes de consommer 1 700 calories par jour, certaines d'entre vous se suralimenteraient, d'autres ne mangeraient pas suffisamment, d'autres enfin mangeraient avec modération. Le fait de compter les calories et d'en consommer une quantité précise n'est pas un gage d'alimentation modérée. Nous avons tous des besoins caloriques différents qui varient aussi d'un jour à l'autre. Aujourd'hui, il vous faudrait 1 700 calories, demain, 1 400 vous suffiront, le jour d'après, ce besoin passera à 2 100. Le stress, la maladie, les menstruations ainsi que beaucoup d'autres facteurs peuvent modifier votre besoin calorique. Le meilleur conseil que je puisse vous prodiguer est de ne pas vous priver, de manger quand votre corps vous dit qu'il a faim, et de ne pas manger à l'excès.

Vous avez commencé à utiliser l'échelle appétit/satiété de la méthode **OFF** dès les semaines 1 et 2 pour déceler quand vous avez faim et apprendre à laisser votre corps vous dire s'il a ou non besoin de nourriture. Grâce à elle, vous saurez aussi reconnaître le moment où vous êtes rassasiée et vous apprendrez comment vous alimenter. Elle vous aidera à manger avec modération et vous empêchera de trop nourrir vos cellules adipeuses. Tenez ce registre pendant au moins deux semaines afin de découvrir ce que veut dire manger avec modération et pour reconnaître le moment où vous êtes rassasiée.

Échelle appétit/satiété de la méthode OFF

10. J'ai le ventre absolument, irrémédiablement plein à craquer.
9. J'ai tellement mangé que je me sens mal.
8. J'ai trop mangé et j'éprouve une sensation de satiété.
7. Je ne me sens pas bien.
6. J'ai un peu trop mangé.
5. **Je suis parfaitement rassasiée et à l'aise.**
4. Légère sensation de faim.
3. Grande sensation de faim.
2. J'ai si faim que je suis irritable.
1. Je suis affamée, la tête me tourne.

Si vous voulez vraiment nourrir votre corps et non pas vos cellules adipeuses, habituez-vous peu à peu à manger avec modération et *arrêtez de manger quand vous atteignez le niveau 5.* Chaque fois que vous dépassez ce niveau, vous mangez à l'excès. Si vous commencez à manger quand vous atteignez le niveau 3 et que vous vous rendez jusqu'au niveau 8, vous vous suralimentez. Si vous commencez à manger quand vous atteignez le niveau 5, vous n'avez pas faim dès le départ et votre corps ne réclame aucune calorie, de sorte que tout ce que vous avalez est de trop. Le Nord-Américain moyen mange à l'excès deux fois sur trois et atteint en général le niveau 8. Nous avons l'habitude de manger jusqu'à satiété, et non pas jusqu'à ce que nous soyons rassasiés. Si vous avez l'impression d'avoir trop mangé, vous nourrissez vos cellules adipeuses.

Laurette a décidé de rayer l'expression «j'ai le ventre plein» de son vocabulaire. Elle a constaté que la visualisation pouvait l'aider à cesser de manger quand elle atteignait le niveau 5. Voici ce qu'elle me raconta un jour:

— Si j'ai envie d'une deuxième portion de pâtes, je ferme les yeux et j'essaie de m'imaginer la prochaine quantité de nouilles au moment où elle descend dans l'œsophage, je la vois être digérée par l'estomac, puis absorbée par le sang, et enfin, je la vois se transformer en immonde globule de graisse. Les enzymes lipogènes s'empressent alors de la cueillir et de la glisser dans une cellule adipeuse de ma cuisse gauche interne.

C'est très explicite? Oui, mais pour cette infirmière, ce fut aussi très efficace.

Il n'y a pas que la visualisation qui puisse vous aider à cesser de manger au niveau 5, à éviter de vous suralimenter et de nourrir vos cellules adipeuses. Êtes-vous de celles qui vident leur assiette à chaque repas? Si vous en avez l'intention et que vous entrez en transe dès la première bouchée jusqu'à ce vous essuyiez votre assiette avec une bouchée de pain, faites une petite expérience:

1. Séparez votre assiette en deux.
2. Mangez la première moitié.
3. Repoussez votre chaise et attendez deux minutes.
4. Sachez déceler si oui ou non vous avez atteint le niveau 5.
5. Sachez si vous avez encore besoin de manger.
6. Si vous avez encore besoin de manger, séparez en deux ce qui reste dans votre assiette, et recommencez à l'étape 2.

Plusieurs de mes clientes ont trouvé ce système efficace, mais comme n'importe quel système, pour qu'il soit efficace il doit correspondre à vos besoins. Ce fut un échec dans le cas de Rose, car pour elle «si c'est dans mon assiette, c'est dans mon estomac». Elle a donc apporté quelques ajustements à cette technique. Au lieu de séparer ses aliments en deux après s'être servie, elle s'est servi la moitié de sa portion habituelle. Après avoir mangé cette demi-portion, elle interpréta les sensations qu'elle ressentait et décida si oui ou non elle devait manger encore pour être rassasiée.

Si vous avez du mal à laisser de la nourriture dans votre assiette, rassurez-vous, vous n'êtes pas seule. Nous avons été habitués dès l'enfance à ne rien laisser. Nous n'avions pas droit au dessert ou nous ne pouvions pas sortir de table avant d'avoir absolument tout mangé. On nous parlait sans cesse des enfants pauvres et affamés pour nous culpabiliser de gaspiller la nourriture. Mais que la nourriture finisse dans votre estomac ou dans la poubelle, ce ne sont pas les enfants affamés du tiers monde qui en profiteront.

Si vous cherchez à battre le record mondial de vitesse, vous mangez sans doute à l'excès. Quand on mange vite, les papilles gustatives ne sont pas satisfaites et on dépasse le niveau 5 sans même s'en rendre compte. Selon certains spécialistes, il convient de prendre 20 à 30 minutes pour manger. Marianne interprète ce conseil comme suit:

— Parfait! J'ai 30 minutes pour manger tout ce que je peux!

Elle n'a pas compris. Si vous mangez vite et que manger plus lentement peut vous aider à maigrir, voici quelques suggestions qui devraient vous aider:

- Posez votre assiette sur la table; ne la tenez pas à la hauteur de votre bouche.
- Prenez de plus petites bouchées.
- Posez votre fourchette entre chaque bouchée.
- Mastiquez lentement et complètement.
- Buvez de l'eau avec votre repas (votre digestion n'en sera pas affectée).

Si vous avez mis ces suggestions en pratique sans succès, lancez-vous un défi. Vous prenez vos repas en compagnie d'une personne qui mange lentement? Efforcez-vous alors de manger encore plus lentement qu'elle. C'est un moyen tortueux de parvenir à vos fins, mais qui s'est révélé efficace pour certaines de mes clientes.

Marthe a constaté que manger plus lentement tout en appliquant la «technique du poing» lui permettait de mieux mesurer la quantité de nourriture convenant à ses besoins. On dit que l'estomac a à peu près la dimension du poing fermé. C'est difficile à croire quand on songe aux repas copieux des Fêtes et des occasions spéciales, mais nous ne devons pas perdre de vue son élasticité extraordinaire. Lorsque sa portion correspondait à son poing fermé, elle suffisait à rassasier Martha.

Voici quelques autres techniques qui pourraient se révéler utiles:

- Servez-vous de plus petites portions (pourquoi tenter le diable?).
- Utilisez une plus petite assiette.
- Laissez une ou deux bouchées dans votre assiette.
- Ne laissez pas les assiettes de service sur la table.
- Asseyez-vous pour prendre vos repas.
- Prenez vos repas dans un endroit prévu à cette fin.
- Ne portez pas de vêtements élastiques à la taille (plus vos vêtements s'ajusteront à votre tour de taille, plus vous risquez de manger).
- Brossez-vous les dents immédiatement après les repas.

Un repas extravagant de temps à autre ne mettra pas vos efforts en péril. Il est même tout à fait «normal» de manger à l'excès à l'occasion. Vos cellules adipeuses ne sont activées que si vous mangez toujours à l'excès. Si, à Noël, vous atteignez le niveau 10, dites-vous que ce n'est pas grave et redescendez au niveau 5 le lendemain.

Certaines personnes se donnent la permission de trop manger si elles font de l'exercice ce jour-là. Vous savez déjà que l'exercice expulse les graisses de la cellule adipeuse. Si vous vous entraînez aujourd'hui et qu'ensuite vous mangez jusqu'au niveau 9, vous reprendrez ce que vous aviez perdu. Si vous mangez une boîte entière de craquelins et que vous brûlez ces calories en faisant de l'exercice, vous éliminez tout simplement ce que vous avez mis dans vos cellules. Votre silhouette n'embellira jamais. La suralimentation et l'exercice ne sont pas compatibles.

Nourrir son corps est une stratégie difficile à appliquer mais elle est absolument essentielle. Vous auriez beau avoir une alimentation très saine, manger seulement quand vous avez faim et faire régulièrement de l'exercice, si vous mangez trop, vous emmagasinerez sans arrêt et vous ne parviendrez jamais à berner et à neutraliser vos cellules adipeuses.

Maintenant que vous savez tout ce qu'il faut savoir pour «nourrir votre corps et non pas vos cellules adipeuses», mettons ces théories en pratique...

Plan d'action de la méthode OFF: semaines 3 et 4

Stratégie OFF: Nourrissez votre corps, non pas vos cellules adipeuses.

Objectifs OFF:
1. Continuez de mettre en pratique les tactiques des semaines 1 et 2.
2. Apprenez à manger quand vous le voulez, sans vous culpabiliser et sans excès.
3. Sachez déceler le moment où vous êtes rassasiée et apprenez à arrêter de manger avant d'éprouver une sensation de satiété.
4. Ajoutez une séance d'exercices par semaine à votre programme (ou deux, si vous vous sentez prête à le faire), et portez la durée de chaque séance à 20 minutes.

Techniques OFF:
1. Sachez écouter votre corps et mangez ce dont vous avez envie.
2. Souvenez-vous que tous les aliments font grossir si vous en mangez à l'excès.
3. Utilisez l'échelle appétit/satiété.
4. Divisez chaque portion en deux.
5. Mangez plus lentement.
6. Utilisez votre poing fermé pour mesurer la quantité de nourriture convenant à vos besoins.
7. Buvez de l'eau pendant les repas.
8. Posez votre fourchette après chaque bouchée.
9. Minutez vos repas.
10. Mastiquez lentement et complètement.
11. Servez-vous de plus petites portions (pourquoi tenter le diable?).
12. Utilisez une plus petite assiette.
13. Laissez une ou deux bouchées dans votre assiette.
14. Ne laissez pas les plats de service sur la table.
15. Asseyez-vous pour prendre vos repas.
16. Ne mangez que dans une pièce destinée à cet usage.
17. Évitez les vêtements élastiques à la taille.
18. Brossez-vous les dents immédiatement après les repas.
19. **Tenez un registre pendant deux semaines pour apprendre ces techniques.**

Vous tenez un registre depuis la première semaine pour apprendre à reconnaître les signaux que vous lance votre corps quand il a faim. Maintenant que vous savez quand manger, sachez quand arrêter de manger. Jumelées aux registres, ces tactiques vous aideront à développer de nouveaux réflexes et de nouvelles habitudes. Continuez de noter votre niveau d'appétit environ toutes les heures, et, si vous mangez, notez aussi votre niveau de satiété et efforcez-vous de savoir si vous avez trop mangé. Par exemple:

REGISTRE APPÉTIT/SATIÉTÉ POUR NOURRIR VOTRE CORPS

HEURE	APPÉTIT	AVEZ-VOUS MANGÉ?	SATIÉTÉ	AVEZ-VOUS TROP MANGÉ? POURQUOI?
6 h	5	non		
7 h	4	oui	5	non
8 h	5	non		
9 h	4	non		
10 h	3	oui	5	non
11 h	5	non		
12 h	4	non		
13 h	3	oui	6	un peu — gros sandwich
14 h	6	non		
15 h	5	oui	7	oui — mauvaise journée
16 h	6	non		
17 h	5	non		
18 h	4	non		
19 h	3	non		
20 h	2	oui	8	affamée!
21 h	8	non		
22 h	7	oui	8	oui — devant la télévision
23 h	7	non		

Dans ce chapitre, nous vous proposons plusieurs techniques **OFF** pour vous aider à manger avec modération jusqu'au niveau 5, pour prévenir la suralimentation, et pour vous permettre d'atteindre votre objectif, c'est-à-dire nourrir votre corps. Ne recourez à une tactique que si elle vous convient. Advenant que l'une d'elles ne se révèle pas efficace dans votre cas, essayez-en une autre. Si, par exemple, vous ne parvenez pas à laisser de la nourriture dans votre assiette, servez-vous de plus petites portions. Si vous ne parvenez pas à manger plus lentement, mesurez vos portions en fonction de votre poing fermé.

Je reconnais que tenir un registre peut être ennuyeux, mais c'est aussi un excellent moyen pour développer de nouvelles habitudes. Vous trouverez ci-après un registre vierge dont vous pourrez vous inspirer, mais il se peut que vous préfériez avoir sur vous en tout temps un calepin pour noter vos collations et vos repas. Nous avons une forte tendance à l'amnésie quand il s'agit de nourriture, mais ce n'est pas le cas de nos cellules adipeuses qui, elles, possèdent une excellente mémoire. Si vous attendez la fin de la journée pour inscrire vos données dans votre registre, vous souviendrez-vous exactement de la sensation que vous éprouviez avant et après avoir mangé? Vous souviendrez-vous avec exactitude de la poignée d'arachides ou de la deuxième portion que vous vous êtes offerte?

Plusieurs de mes clientes sont agacées de devoir tenir un deuxième registre alors que je ne m'intéresse toujours pas à ce qu'elles mangent. Quand on se préoccupe des aliments permis et des aliments interdits, on est au régime. Ne mangez pas à l'excès; ainsi vous nourrirez votre corps et vous bernerez vos cellules adipeuses.

REGISTRE APPÉTIT/SATIÉTÉ POUR NOURRIR VOTRE CORPS

HEURE	APPÉTIT	AVEZ-VOUS MANGÉ?	SATIÉTÉ	AVEZ-VOUS TROP MANGÉ? POURQUOI?

Deuxième étape pour aérobiser vos cellules adipeuses

— Une journée de marche par semaine? C'est du gâteau. Mais pas de panique: je n'ai pas mangé le gâteau!

Pauline avait un formidable sens de l'humour et s'amusait à plaisanter sur la nourriture. Elle trouva si encourageant de faire de l'exercice une fois la semaine qu'elle se sentit prête à s'entraîner un jour de plus. Voilà exactement ce que nous faisons: nous intégrons tout doucement l'exercice à notre mode de vie. Quand vous aurez atteint un petit objectif, le prochain vous paraîtra plus facile.

Vous avez su trouver le temps et la volonté nécessaires à un entraînement hebdomadaire ces deux dernières semaines. *Il est temps d'ajouter une séance d'exercices à votre programme.*

- Si vous avez choisi de faire de la bicyclette le matin, faites-en un matin de plus.
- Si vous avez décidé de marcher à midi, réservez-vous un midi supplémentaire afin d'éviter de prendre rendez-vous avec une amie ou de planifier un déjeuner d'affaires.
- Si vous avez préféré aller au gymnase en fin d'après-midi, apportez vos vêtements d'exercice un jour de plus.

Quand vous aurez choisi une deuxième journée pour vous entraîner avec modération, prolongez la durée de votre séance d'exercices. Les deux premières semaines, vous n'avez fait que ce dont vous vous sentiez capable et vous avez prolongé progressivement cette séance jusqu'à concurrence de 15 minutes. Ajoutez encore 5 minutes aux 15 premières, portant ainsi votre séance d'exercices à 20 minutes.

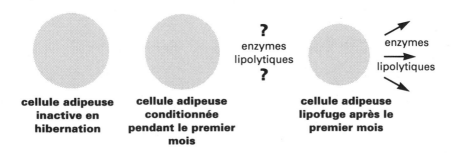

cellule adipeuse inactive en hibernation

cellule adipeuse conditionnée pendant le premier mois

enzymes lipolytiques

cellule adipeuse lipofuge après le premier mois

enzymes lipolytiques

Pendant ce premier mois de la méthode **OFF**, vous conditionnez vos cellules adipeuses à éliminer les graisses. Si vous n'avez pas suivi un programme d'exercices depuis un certain temps, vos enzymes lipolytiques ont hiberné. Elles ne se souviennent plus comment brûler les graisses. Vous devez les réveiller, épousseter les toiles d'araignée et leur donner un cours accéléré dans l'art de brûler les graisses. Au bout d'un mois, vos enzymes sont activées et vous voilà en route pour un corps plus mince.

Si vous suiviez déjà un programme d'exercices, vous n'avez peut-être pas conditionné vos cellules adipeuses et vos enzymes lipolytiques actives. Vous *devez* vous entraîner avec modération si vous voulez parvenir à éliminer les graisses et à réduire le volume de vos cellules adipeuses.

N'oubliez pas:

- Restez dans la zone lipofuge (intensité moyenne).
- Chantez *Frère Jacques* toutes les cinq minutes.
- Planifiez votre horaire d'entraînement avec réalisme.
- Si l'exercice que vous avez choisi ne vous plaît pas, trouvez autre chose!

Chapitre 8

Semaines 5 et 6:
Mangez moins, plus souvent

En entrant un jour dans mon bureau, Jeannine me fit un aveu:

— Il faut que je vous dise quelque chose parce que je me sens coupable. Je prends une collation presque chaque après-midi. Je sais que je ne suis pas censée manger entre les repas, mais vers 15 h 30, j'ai faim.

Un aveu? Pour quoi faire? Au contraire, tout me semble fonctionner à merveille. Si vous avez appliqué les autres stratégies **OFF**, si vous avez mangé modérément à midi, il est normal que votre corps vous fasse savoir qu'il a faim vers 15 h 30. Vous n'avez pas à vous sentir coupable parce que vous prenez une collation. Cette collation contribue à duper vos cellules adipeuses parce qu'elle vous aide à manger moins, plus souvent.

Vous avez peut-être déjà commencé à mettre cette stratégie en pratique un peu à votre insu, car elle s'inscrit naturellement dans votre processus de transformation. Quand vous réduisez vos repas pour manger avec modération et nourrir votre corps, vous prenez ces petits repas plus souvent tout au long de la journée. Voilà pourquoi une approche comme celle-là, qui tend à modifier les habitudes de vie, est si intéressante. Un seul petit changement, s'il est réaliste, débouche sur un autre changement. Vous commencez par percevoir les messages que vous donne votre corps pour dire qu'il a faim. Puis, à mesure que vous devenez plus consciente de vos sensations, vous commencez à comprendre les signaux qu'il émet pour vous faire comprendre qu'il est rassasié et qu'il est temps de vous arrêter de manger. Si vous appliquez ces deux tactiques, vous prendrez sans effort de plus petits repas et des collations tout au long de la journée.

Pour que cette stratégie soit efficace, dissipons d'abord deux idées fausses très répandues:

1. Manger entre les repas n'est pas sain.
2. Il faut prendre trois repas équilibrés par jour.

Combien de fois vous a-t-on dit que manger entre les repas n'est pas sain et fait grossir? Combien de fois vous a-t-on dit qu'il faut prendre trois repas équilibrés par jour et ne pas prendre de collation? L'idée voulant que manger entre les repas soit mauvais coïncide avec l'invention de la tablette de chocolat et de la croustille. Nous confondons collation et aliments vides. Une collation peut comporter n'importe quel aliment. Oubliez que c'est mauvais pour vous. Une collation ne vous fera grossir que si vous n'avez pas faim ou si vous mangez à l'excès.

La méthode **OFF** donne un autre sens au mot «collation», un sens positif. La collation permet un apport calorique continu, prévient la suralimentation et vous empêche de nourrir vos cellules adipeuses. C'est un outil efficace qui peut vous aider à berner vos cellules adipeuses.

Qu'en est-il de la tradition voulant que «trois repas équilibrés par jour» constituent une alimentation saine? Depuis la maternelle, on nous répète que chaque repas doit comprendre les quatre groupes alimentaires. À l'origine, cette précaution avait pour but de nous fournir les vitamines et les minéraux essentiels à notre bien-être. En cours de route, nous en avons modifié le sens et nous avons conclu que chaque repas devait comporter les quatre groupes, soit des protéines, des glucides, un légume ou une salade, du lait et, bien entendu, un dessert (l'infâme cinquième groupe).

Il n'est pas nécessaire, pour qu'un repas soit équilibré, qu'il contienne à lui seul les quatre groupes. Du moment que vous consommez des aliments appartenant aux quatre groupes (et même au cinquième de temps à autre) au cours d'une même journée, le moment où vous les mangez, au repas ou pour la collation, n'affecte pas leur valeur nutritive. En revanche, le moment où vous mangez peut affecter vos cellules adipeuses. Le repas traditionnel comprenant viande, pommes de terre, légumes, pain et salade est excessif: avec un tel repas, vous nourrissez vos cellules adipeuses bien plus que votre corps.

Nous devrions faire de nos collations des *mini-repas* et de nos repas des *maxi-collations*. Un mini-repas ou une maxi-collation pourrait alors comprendre un, deux ou trois groupes alimentaires au lieu des quatre groupes plus un dessert. Vous pourriez donc consommer des protéines et un légume ou des glucides et une salade. Vous pourriez aussi choisir des aliments appartenant aux quatre groupes, mais réduire de beaucoup vos portions. Je n'aime pas particulièrement les repas congelés, car même les repas «à faibles calories» sont riches en matières grasses, mais ils vous permettent de diminuer les portions et correspondent assez à ma définition d'un *mini-repas*.

Que savez-vous maintenant des collations et des repas équilibrés?

- Grignoter est sain quand on a faim.
- Un repas peut être aussi frugal qu'une maxi-collation.
- Une collation peut être aussi copieuse qu'un mini-repas.
- Une collation ne se compose pas forcément d'aliments vides.
- Il n'est pas nécessaire qu'un repas équilibré contienne les quatre groupes alimentaires.
- Du moment que vous variez votre alimentation, il importe peu que ce que vous mangez fasse partie d'un repas ou d'une collation.

Maintenant que votre attitude face aux repas et aux collations a changé, sachez que manger moins, plus souvent est très important pour que vous parveniez à duper vos cellules adipeuses.

Supposons que vous consommiez environ 2 000 calories par jour.

- Si vous consommiez ces 2 000 calories en un seul repas copieux ou en deux repas de 1 000 calories chacun, vous mangeriez trop copieusement et cet excédent serait emmagasiné dans vos cellules adipeuses. Votre organisme utiliserait
une partie de ces aliments pour bien fonctionner, mais ils
seraient pour une bonne part absorbés par vos enzymes lipogènes et le cadran de votre pèse-personne indiquerait un
poids plus élevé. En mangeant un ou deux repas copieux,
vous sautez des repas et vous privez votre corps d'éléments
nutritifs pendant 12 à 24 heures. Vous jeûnez. Une fois emmagasiné, le gras reste où il est et vous procurez à votre
corps d'autres sources d'énergie (muscles ou sucres) pour
se nourrir.

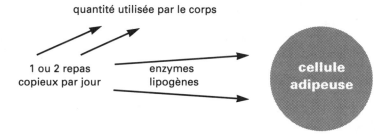

- Si vous consommiez ces 2 000 calories en trois repas équilibrés de 666 calories chacun, vous mangeriez encore trop à
chaque repas et vous emmagasineriez un peu de graisses.
Vous ne grossiriez sans doute pas tout de suite, mais petit à
petit. C'est l'alimentation typique du Nord-Américain, qui
grossit en moyenne de un kilo et demi par année.

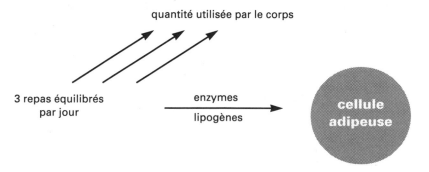

- Si vous consommiez les 2 000 calories en question en quatre ou cinq mini-repas de 400 calories chacun, vous ne mangeriez jamais à l'excès et vous n'emmagasineriez jamais de graisses. Votre organisme utiliserait toutes ces calories immédiatement et vous berneriez vos cellules adipeuses.

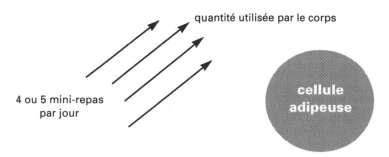

Si vous répartissez également vos calories tout au long de la journée en faisant quatre ou cinq mini-repas, vous incitez votre organisme à brûler ces calories au lieu de les emmagasiner. S'il requiert ces éléments nutritifs, il les brûlera. S'il n'en a pas besoin (comme lorsque vous mangez à l'excès), il les emmagasinera. D'après certaines personnes, étaler ainsi les calories tout au long de la journée ne change rien. D'après mon expérience, cela change tout. Des repas plus copieux se traduisent par des cellules adipeuses plus volumineuses. Votre corps n'utilise qu'une quantité donnée de calories pendant une période donnée. Il n'a donc pas besoin de repas copieux. Il a besoin, au contraire, de petits repas, pris plus souvent pendant la journée.

Je ne vous dis pas de manger plus, mais plus souvent — en d'autres termes, que la quantité de nourriture que vous consommez d'habitude soit étalée sur quatre ou cinq petits repas, uniformément, tout au long de la journée.

— D'accord, vous m'avez convaincue que manger moins et plus souvent contribuera à berner mes cellules adipeuses. Mais comment puis-je transformer deux repas copieux en quatre ou cinq mini-repas?

Petit à petit, de façon réaliste, exactement comme vous appliquez les autres tactiques de la méthode **OFF**.

Si vous prenez maintenant un seul repas ou deux repas par jour, passez d'abord à trois repas par jour. Vous mangerez ainsi un peu moins à chaque repas et vous emmagasinerez un peu moins d'excédents dans vos cellules adipeuses. Ensuite, étalez cette même quantité de nourriture sur quatre petits repas. Plus tard, subdivisez de nouveau cette nourriture en cinq mini-repas. Vos cellules adipeuses ne savent plus où donner de la tête. Maintenant qu'elles ne reçoivent plus l'excès de calories que vous leur fournissiez à l'heure des repas et entre les repas, elles ont été neutralisées.

Voici un exemple général de la façon dont la même quantité de nourriture peut être étalée sur cinq mini-repas.

	3 REPAS	4 REPAS	5 REPAS
Petit déjeuner	céréales	céréales	céréales
	jus	jus	jus
	lait	lait	lait
Collation			petit pain
			carottes
Déjeuner	sandwich	1/2 sandwich	1/2 sandwich
	croustilles	croustilles	croustilles
	fruit	lait	lait
	lait		
Collation		1/2 sandwich	1/2 sandwich
		fruit	fruit
Dîner	poulet	poulet	poulet
	pomme de terre	pomme de terre	pomme de terre
	carottes	carottes	salade
	salade	salade	gâteau au fromage
	petit pain	petit pain	
	gâteau au fromage	gâteau au fromage	

Quand vous vous sentirez prête à faire quatre repas par jour, vous trouverez peut-être plus commode de prendre une collation l'après-midi plutôt que dans la matinée. Si vous mangez avec modération à midi, vous aurez sans doute faim vers 15 h 30 ou 16 h. La plupart des gens attendent d'être rentrés à la maison avant de manger. Ils arrivent affamés, courent à la cuisine et se jettent frénétiquement sur la nourriture sans même prendre le temps de s'asseoir. La collation de l'après-midi vous aidera à ne pas arriver au dîner affamée. Plusieurs de mes clientes qui déjeunent d'un sandwich en gardent la moitié pour leur collation de l'après-midi. Si, pour une raison quelconque, vous n'avez pas pris de collation l'après-midi, mangez un petit pain ou quelques craquelins en entrant à la maison, histoire de calmer votre appétit et de vous remettre d'aplomb.

Pour que cette technique soit efficace, vous devez planifier vos collations. Gardez des bretzels, des craquelins, des fruits ou toute autre collation que vous aimez dans le tiroir de votre bureau, dans votre sac à main ou dans le coffre à gants de votre voiture. Si vous êtes de celles qui mangent tout ce qui est à leur portée, ne rendez pas vos collations trop accessibles. Quand vous avez faim, allez à la cafétéria ou au dépanneur.

Peut-être avez-vous déjà l'habitude de prendre une collation vers 15 h 30 pour combattre la somnolence de l'après-midi? Dans ce cas, de quoi s'agit-il?

— Eh bien, d'habitude, je mange une tablette de chocolat, mais ce peut être n'importe quoi de sucré qui me donne de l'énergie.

Une tablette de chocolat vous donnera un bref regain d'énergie, mais aussitôt après, cette énergie accusera une baisse très importante. Vos collations de l'après-midi doivent être énergisantes. Il existe deux sortes de collations énergisantes, selon vos besoins. Les *glucides* vous procurent de l'énergie physique. Ils stimulent votre masse musculaire. Si votre séance d'exercices a lieu avant le repas du soir, quelques craquelins, des bretzels ou un morceau de pain vous procureront un surplus d'énergie physique. Les *protéines* stimulent la concentration intellectuelle. (Je sais que vous associez les protéines aux muscles; mais si les protéines augmentent la masse musculaire, elles ne la stimulent pas.) Les protéines sont converties dans le cerveau en produits chimiques qui accroissent votre attention et votre pouvoir de concentration. Si vous avez une réunion importante, un examen ou une date de tombée à respecter, une collation protéinée vous rendra plus productive, elle diminuera votre stress et votre fatigue. Voici quelques exemples de collations riches en protéines: un demi-sandwich au rôti de bœuf ou à la dinde; une poitrine de poulet; du yogourt maigre; du fromage cottage.

J'ai beaucoup insisté sur le fait qu'il faut manger quatre ou cinq fois par jour, prendre des maxi-collations et des mini-repas, mais de nombreuses femmes qui disent ne pas prendre de petit déjeuner copieux n'ont pas faim dans la matinée, et d'autres n'ont pas faim dans l'après-midi tout en ayant mangé avec modé-ration au déjeuner. Si c'est votre cas, sautez la collation du matin ou celle de l'après-midi. Sachez écouter votre corps.

Si vous n'avez pas faim plus souvent, demandez-vous si vous ne mangez pas trop. Il se peut que vous mangiez beaucoup moins qu'auparavant aux repas, que vous n'éprouviez pas une sensation de satiété et de malaise, mais que vous mangiez encore trop pour être bien. Nous sommes si habitués à faire des repas très copieux et à nous remplir la panse que nous avons oublié les sensations qu'éprouve notre corps après avoir mangé. Après les repas, mesu-rez votre bien-être au moyen de l'échelle appétit/satiété, et posez-vous la question suivante: «Est-ce que je mange encore trop?»

10
9◄—ce que vous mangiez avant
8
7◄—vous mangez moins, mais vous mangez encore trop
6
5◄—vous ne mangez pas à l'excès, vous êtes parfaitement bien
4
3
2
1

Comment être sûre de ne pas vous suralimenter? En partie, en sachant combien de temps s'écoule avant que votre appétit revienne. Sachez que si vous ne mangez pas à l'excès et que vous consommez juste ce qu'il faut de calories pour assurer le bon fonctionnement de votre organisme, celui-ci devrait vous dire qu'il a faim dans envi-ron trois ou quatre heures. Le corps met en effet trois ou quatre heures à digérer et à utiliser une quantité moyenne de nourriture, et environ six heures à digérer et à emmagasiner un repas copieux.

Mon expérience auprès des femmes que j'habitue à manger moins, plus souvent me porte à conclure que les inquiétudes et les obstacles suivants ralentissent votre progrès:

- La peur de prendre du poids.
- Un manque de persévérance pendant les week-ends.
- Le manque de temps et de disponibilité pour faire des repas plus fréquents.

— Si je me donne le droit de manger plus souvent, ma vie ne sera plus qu'une seule et unique séance de suralimentation et **je vais grossir.**

Non, vous ne grossirez pas. Si vous avez mis en pratique les stratégies que je vous ai enseignées jusqu'à présent et si vous les avez intégrées petit à petit à votre mode de vie, vous êtes tout à fait capable de vous mettre à l'écoute de votre corps, de manger quand vous avez faim, de manger modérément, et d'étaler sur toute une journée votre apport calorique. La mentalité diététique nous a persuadées de sauter des repas et de manger moins souvent pour perdre du poids. C'est le contraire qui est vrai. Pour perdre du poids, il faut manger moins, plus souvent.

Selon certains spécialistes, notre corps a été biologiquement conçu pour absorber souvent de petites portions de nourriture. Si nous laissions les enfants obéir à leur instinct, ils ne feraient jamais de gros repas, mais plusieurs petites collations tout au long de la journée. En tant que parents responsables, nous les obligeons à s'asseoir à table pour les repas, contrariant de la sorte leur instinct alimentaire. Sans doute devrions-nous les imiter et les laisser obéir à leur penchant naturel en matière d'alimentation.

Les femmes qui ont atteint leur poids santé en appliquant ce principe ne sont pas rares.

— Martha m'émerveille. Elle a perdu du poids, elle porte des vêtements de taille 8 et elle mange toute la journée. Si je mangeais autant qu'elle, je pèserais plus de trois fois son poids.

C'est ce que vous croyez. En réalité, les Martha du monde mangent peu, souvent. Une poignée ici, un petite assiettée là, jamais le sac, la boîte, le contenant en entier. La différence est là: elles ne mangent pas *beaucoup* toute la journée, elles mangent *peu* toute la journée.

Je sais que vous songez à certaines personnes minces qui mangent beaucoup à la fois, plusieurs fois par jour. *Elles ne sont pas en train de lire ce livre,* mais c'est vrai, il en existe quelques-unes. Elles ont eu la chance de naître avec un métabolisme qui les prédispose à la minceur. Les graisses les rattraperont peut-être un jour quand leur métabolisme ralentira en raison de l'âge, mais jusqu'alors, elles seront l'exception à la règle.

Cette stratégie fait peur à certaines clientes. Pour exorciser la peur, comparez les personnes qui font souvent des repas frugaux et les personnes qui:

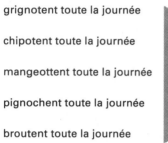

grignotent toute la journée

chipotent toute la journée

mangeottent toute la journée

pignochent toute la journée

broutent toute la journée

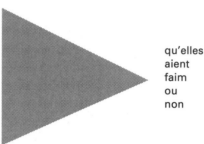

qu'elles
aient
faim
ou
non

Quelle que soit l'expression que vous utilisiez: grignoter, chipoter, mangeotter, pignocher ou brouter, si vous n'avez pas faim, votre corps n'a pas besoin des calories que vous lui donnez et il les emmagasine dans vos cellules adipeuses.

Certaines personnes qui réussissent à manger moins mais plus souvent tout au long de la semaine ont de la difficulté à y parvenir pendant le **week-end.** C'est samedi. Vous avez projeté d'aller dîner au restaurant avec des amis. Vous avez fait la grasse matinée, vous avez pris votre petit déjeuner plus tard que d'habitude, vous n'avez pas faim avant 15 h. Vous vous dites: «Nous allons à ce merveilleux restaurant italien. Je fais bien de ne pas déjeuner. Il est trop tard de toute façon, et je ne veux pas gâcher mon appétit. Je vais garder mes calories pour ce soir, et je ne lésinerai pas sur les fettuccine et le pain à l'ail.» Tout ce que vous gardez ainsi, c'est de la graisse pour vos cellules adipeuses. Vous passez à table à 20 h. Vous mourez de faim, vous vous jetez sur le pain, vous commandez une entrée, vous mangez toute votre portion de fettuccine afin d'en avoir pour votre argent. Si vous aviez mangé à 15 h, quand vous aviez faim, vous auriez évité de trop manger au restaurant.

Même si vous ne craignez pas de grossir et que les week-ends ne sont pas un problème pour vous, vous **n'avez pas le**

temps de faire souvent des mini-repas. Marguerite ne pouvait pas s'accorder une pause au travail et elle ne pouvait pas davantage manger à son bureau. Elle ne croyait pas possible de manger moins, plus souvent. Il lui était impossible de prendre une collation le matin ou l'après-midi. La seule solution qu'elle put trouver fut de garder des craquelins dans le coffre à gants de sa voiture et d'en grignoter un ou deux en rentrant chez elle. Regardez votre horaire de près et décidez ce qui vous convient.

Les autres bienfaits que procure le fait de manger moins, plus souvent vous aideront sans doute à surmonter ces obstacles:

- Vous aurez plus d'énergie.
- Vous atténuerez les symptômes du syndrome prémenstruel.
- Vous contrôlerez mieux votre stress.

— Je ne me suis jamais sentie aussi pleine d'énergie.

C'est un leitmotiv. Deux raisons font que vous avez (ou que vous aurez bientôt) plus de vitalité et plus d'énergie. D'abord, vous ne vous suralimentez plus. Quand vous vous suralimentez, votre estomac est approvisionné en sang pour la durée du processus de digestion. Une partie de ce sang devait irriguer le cerveau, mais est détourné vers l'estomac. Privé de sang et, par conséquent, d'oxygène et d'éléments nutritifs, votre cerveau fonctionne au ralenti et vous avez sommeil. Vous êtes-vous déjà demandé pourquoi vous étiez si fatiguée après le copieux déjeuner du dimanche? Pourquoi vous avez envie de faire la sieste après le déjeuner de l'Action de Grâce?

En second lieu, ce surplus d'énergie est lié au taux de sucre dans le sang. Lorsque le taux de sucre est trop bas ou trop élevé par rapport à la norme, vous n'êtes pas dans la meilleure forme. Quand votre taux de sucre est trop élevé, votre cerveau reçoit trop de sucre, vous êtes irritable et peu productive. Quand le taux de sucre est trop bas, votre cerveau ne reçoit pas suffisamment de sucre, votre énergie est au plus bas, vous êtes léthargique. En prenant souvent des mini-repas, votre taux de sucre est stable, votre vitalité est plus grande et plus uniforme.

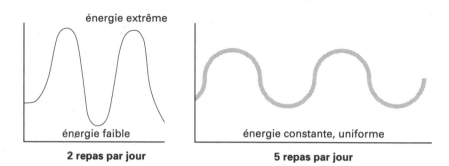

Les femmes qui souffrent du **syndrome prémenstruel** béné-ficient des mini-repas fréquents, car ceux-ci leur permettent de stabiliser et de mieux contrôler les fluctuations mensuelles de leurs hormones et de leurs émotions. Comme beaucoup de femmes en préménopause, je souffre du syndrome prémenstruel. Cer-tains mois sont plus pénibles que d'autres, mais j'ai découvert que des mini-repas fréquents atténuent sensiblement mes symp-tômes. Cette technique est si bienfaisante que, lorsque survien-nent des mois difficiles, mon mari me rappelle que je devrais manger plus souvent. Le pauvre... il est autant que moi victime de mon syndrome prémenstruel!

Environ une semaine avant vos règles, il se peut que vous soyez plus sensible aux fluctuations de votre taux de sucre. Quand plus de quatre heures se sont écoulées depuis votre der-nier repas, le taux de sucre baisse au-dessous de la normale et les symptômes du syndrome prémenstruel sont intensifiés. Vous de-venez irritable, bougonne, sensible. Votre cerveau proteste et exige du sucre «tout de suite!». C'est sans doute pour cette raison qu'avant leurs règles les femmes ont souvent des fringales et se gavent de sucreries (surtout de chocolat). En multipliant les mini-repas, en stabilisant votre taux de sucre, vous rendez votre cerveau heureux et votre humeur égale, vous n'avez pas de frin-gales irrépressibles et les symptômes du syndrome prémenstruel s'atténuent.

Que vous souffriez ou non du syndrome prémenstruel, que vous soyez en préménopause ou en postménopause, la multipli-cité des mini-repas contribue à alléger le stress. En équilibrant votre taux de sucre, vous favorisez le calme et la stabilité dans votre course quotidienne contre la montre. Quand le taux de sucre est trop bas ou trop élevé, votre physiologie est sous tension et vous devenez plus émotive et irritable. Quand le taux de sucre est stable, la physiologie et le cerveau le sont aussi et combattent plus facilement les effets du stress.

Il existe de nombreuses techniques de relaxation pour vous aider à contrôler et même à diminuer les effets du stress dans votre vie, en plus des mini-repas étalés sur toute une journée. Je vous conseille fortement d'y recourir de façon régulière. Plus que jamais dans l'histoire de l'humanité, les femmes subissent les effets du stress. Elles sont sans cesse contraintes à «se comporter comme des femmes, penser comme des hommes et travailler comme des chiens». J'ignore qui a dit cela, mais j'aimerais que ce soit moi.

Maintenant que vous savez ce qu'il faut savoir pour manger moins, plus souvent, mettons cette stratégie en pratique...

Plan d'action de la méthode OFF: semaines 5 et 6

Stratégie OFF: Mangez moins, plus souvent.

Objectifs OFF:
1. Continuez de mettre en pratique les tactiques des semaines 1 à 4.
2. Apprenez à manger moins, plus souvent, tout au long de la journée.
3. Planifiez vos menus en fonction de mini-repas et de maxi-collations.
4. Ajoutez une séance d'exercices par semaine à votre programme et portez la durée de chaque séance à 30 minutes.

Techniques OFF:
1. Sachez ce qu'est pour vous une collation.
2. Sachez ce qu'est pour vous un repas équilibré.
3. Faites de vos repas des maxi-collations.
4. Faites de vos collations des mini-repas.
5. Dressez une liste de mini-repas et de maxi-collations possibles.
6. Choisissez des aliments appartenant à un, deux ou trois groupes alimentaires, plutôt qu'appartenant aux quatre groupes plus le dessert.

7. Ayez des collations à portée de la main: bureau, voiture, porte-documents.
8. Prenez une collation énergisante vers 15 h 30: glucides si vous devez faire de l'exercice; protéines pour votre concentration.
9. Séparez votre déjeuner en deux portions, et gardez la deuxième pour votre collation de l'après-midi.
10. Stabilisez votre taux de sucre pour maximiser votre énergie.
11. Stabilisez votre taux de sucre pour mieux contrôler les effets du stress.
12. Stabilisez votre taux de sucre pour atténuer les symptômes du syndrome prémenstruel.
13. Adoptez l'échelle appétit/satiété pour prévenir la suralimentation.
14. **Tenez un registre alimentaire pendant quinze jours pour vous familiariser avec ces techniques.**

Je sais: encore des registres alimentaires — beûrk! Mais ceux-ci diffèrent quelque peu des précédents. Vous notez déjà votre niveau d'appétit et de satiété; cette partie est facile. Cette fois-ci, vous noterez l'heure de vos mini-repas et celle de vos maxi-collations, ainsi que les quantités approximatives. Je vous demande d'inscrire ce que vous mangez, mais au fond, peu importe; ce qui m'intéresse, c'est *la répartition* de ces aliments sur toute une journée.

Il se peut que vous ayez faim cinq fois certains jours et trois fois, ou même seulement deux fois, en d'autre temps. Restez à l'écoute de votre corps et mangez quand vous avez faim: voilà l'important. Ne vous forcez pas à manger si vous n'avez pas faim.

Tenez un registre de vos mini-repas pendant au moins deux semaines. Ci-après, nous vous proposons un exemple de registre ainsi qu'un registre vierge qui pourra vous servir de modèle.

Troisième étape pour aérobiser vos cellules adipeuses

Félicitations! Vous faites du conditionnement physique depuis un mois. Je vous félicite parce que vous persévérez, alors que la plupart des gens abandonnent leur programme d'exercices dès le premier mois pour trois raisons:

1. Ils ont choisi un exercice qui leur déplaît.
2. Ils ont choisi un horaire qui ne leur convient pas.
3. Ils se sont entraînés trop énergiquement; la fatigue et la douleur n'en valent pas la peine.

Vous avez choisi un exercice qui vous plaît; l'heure de la journée vous convient; vous vous entraînez modérément. Vous vous entraînez deux fois par semaine pendant 20 minutes. Ajoutez une séance d'exercices et prolongez-les de 10 minutes. Au bout de la 6e semaine, vous vous entraînerez trois fois la semaine pendant 30 minutes.

Si vous n'êtes pas sûre d'avoir choisi le bon exercice, trouvez une activité qui vous soit plus agréable. Si vous faites de la bicyclette stationnaire et que cela vous ennuie à mourir, cessez de vous torturer. Sans quoi, vous inventerez un million d'excuses pour éviter de vous asseoir sur la selle.

ÉCHELLE APPÉTIT/SATIÉTÉ POUR VOUS AIDER À MANGER MOINS, PLUS SOUVENT

REPAS/ COLLATION	HEURE	NIVEAU D'APPÉTIT	QUANTITÉS	NIVEAU DE SATIÉTÉ
Petit déjeuner	6 h 30	4	225 g céréales	5
			235 ml lait	
			175 ml jus	
Collation	9 h 30	4	115 ml yogourt	5
			1 poire	
Déjeuner	12 h 15	3	1/2 sandwich	5
			1 pomme	
			1 boisson gazeuse	
Collation	16 h 30	3	1/2 sandwich	5
			1 biscuit	
Dîner	19 h 45	3	120 g viande	5
			225 g carottes	
			115 g riz	

ÉCHELLE APPÉTIT/SATIÉTÉ POUR MANGER MOINS, PLUS SOUVENT

REPAS/ COLLATION	HEURE	NIVEAU D'APPÉTIT	QUANTITÉS	NIVEAU DE SATIÉTÉ
_____	____	_____	_____	_____
			_____	
			_____	
			_____	
_____	____	_____	_____	_____
			_____	
			_____	
			_____	
_____	____	_____	_____	_____
			_____	
			_____	
			_____	
_____	____	_____	_____	_____
			_____	
			_____	
			_____	
_____	____	_____	_____	_____
			_____	
			_____	
			_____	

Vous voici parvenue à une étape très importante de votre programme d'exercices, le moment où vous commencez à brûler des calories. Jusqu'à présent, vous avez conditionné vos cellules adipeuses à éliminer les graisses. Maintenant, vous entrez dans la «zone lipofuge». Vous possédez tous les ingrédients nécessaires pour utiliser de l'oxygène (O_2) ainsi que des enzymes lipolytiques pour débarrasser vos cellules adipeuses des graisses:

O_2 + enzymes lipolytiques = 30 minutes = élimination des graisses.

Chaque fois que vous vous entraînez pendant 30 minutes, vous brûlez des graisses. Vous allez donc travailler à rapetisser vos cellules adipeuses trois fois par semaine. Bravo! Voici quelques suggestions qui vous aideront à obtenir des résultats maximum. Si vous vous entraînez le lundi, le mardi et le mercredi, les résultats seront moins satisfaisants que si vous vous entraînez aux deux jours. Décalez au moins le troisième jour: entraînez-vous le lundi, le mardi et le vendredi. On vous a sans doute dit que faire de l'exercice tous les deux jours est ce qu'il y a de mieux, et c'est vrai dans l'absolu. Mais l'absolu n'est sans doute pas faisable pour vous. Il importe donc que vous sachiez ce qui vous convient.

L'exercice n'est pas cumulatif. Vous devez vous entraîner pendant 30 minutes consécutives. Vous entraîner le matin pendant 15 minutes et le soir pendant 15 minutes totalise 30 minutes, mais vous ne brûlerez pas de graisses pour avoir de l'énergie. Vous commencez votre séance d'exercices... et vous vous arrêtez presque aussitôt. Trente minutes *consécutives* sont nécessaires pour activer vos enzymes lipolytiques et réduire le volume de vos cellules adipeuses. Chaque fois que vous aurez envie de couper votre séance d'entraînement, visualisez ce graphique:

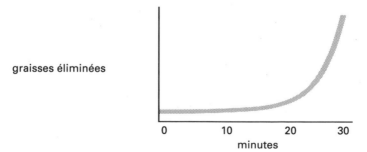

graisses éliminées

0   10   20   30

minutes

Aide-mémoire:

- Restez dans la zone lipofuge (intensité moyenne).
- Chantez *Frère Jacques* toutes les cinq minutes.
- Planifiez votre horaire d'entraînement avec réalisme.
- Si l'exercice que vous avez choisi ne vous plaît pas, trouvez autre chose!

Chapitre 9

Semaines 7 et 8: Habituez-vous à manger de préférence le jour

Pendant la journée, tout va à merveille. Je mange quand j'ai faim, sans excès, et je prends une collation dans l'après-midi. Mais le soir, c'est une autre histoire. Dès que je rentre de mon travail, c'est la métamorphose. Je mange sans arrêt de 18 h à 22 h. Je me contrôle très bien le jour. Le soir, je ne sais pas me retenir.

Si vous avez l'impression d'être le Dr Jekyll le jour et M. Hyde dès le coucher du soleil, le présent chapitre vous aidera à faire de la méthode **OFF** un succès. Comme la plupart des gens, vous contrôlez plus facilement vos habitudes alimentaires pendant la journée. Vous êtes occupée, vous n'êtes pas à la maison, la nourriture n'est pas toujours à portée de votre main. Le soir, vous êtes chez vous, la nourriture est à votre portée, vous avez le temps de penser à manger, les publicités à la télévision vous parlent de nourriture, et la cuisine est juste à côté.

Mangez-vous de préférence le soir? La réponse est probablement un oui énergique. La femme nord-américaine consomme environ 70 p. 100 de ses calories après 17 h. Naturellement, elle souffre d'embonpoint. D'ailleurs, cette alimentation nocturne explique sans doute pourquoi le Nord-Américain moyen est gras: le métabolisme est plus lent et le besoin calorique du corps est plus bas le soir que pendant la journée. Le métabolisme est rapide le matin et l'après-midi, puis il ralentit peu à peu pour atteindre sa lenteur maximale le soir. Vos cellules adipeuses sont les plus actives quand votre métabolisme fonctionne au ralenti. Par conséquent, le soir, quand le métabolisme est lent, si votre apport calorique est élevé, vous êtes plus susceptible d'inciter vos cellules adipeuses à accumuler des graisses et à augmenter de volume.

— Vous voulez dire que mes cellules adipeuses sont bien réveillées quand mon corps tombe endormi? Elles ne dorment donc jamais?

Contrairement au reste de votre corps, vos cellules adipeuses n'ont pas besoin de sommeil. Pendant que vous entrez dans le pays des rêves, elles en profitent pour faire des provisions. Pendant que vous rêvez de bonbons, vos cellules adipeuses les emmagasinent.

Avec le coucher du soleil, les enzymes lipogènes rétentrices des graisses s'activent. Si vous avez l'habitude de manger le soir, vous emmagasinerez plus de calories que votre corps n'en utilisera. Vous nourrirez vos cellules adipeuses et non pas votre corps, même si votre apport calorique total n'est pas très élevé.

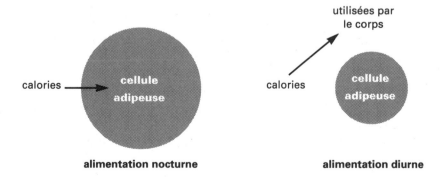

Mon intention est de vous aider à harmoniser votre alimentation à votre métabolisme pour que vous consommiez le plus de mini-repas quand votre métabolisme est le plus actif, c'est-à-dire pendant les 12 premières heures de la journée. Si vous vous levez à 6 h et que votre organisme requiert environ 2 000 calories par jour pour fonctionner (pour faire un calcul simple), il brûlera environ 75 p. 100 de ces calorics (soit 1 500 calories) entre 6 h et 18 h, et seulement 25 p. 100 (ou 500 calories) de 18 h à 6 h le lendemain matin.

BESOIN CALORIQUE DU CORPS

6 h à 18 h	1 500 calories
18 h à 6 h	500 calories

Vos habitudes alimentaires correspondent probablement à l'inverse de ce besoin. Vous vous levez le matin, vous avalez un café avec un muffin, si tant est que vous avaliez quelque chose. Puisque vous comptez vos calories, vous mangez une salade avec vinaigrette faible en calories au déjeuner. Vous rentrez du travail à 18 h et vous vous précipitez dans la cuisine pour manger quelques craquelins avec un peu de fromage, vous grignotez en préparant le dîner, vous prenez votre repas, et vous allez rôder dans la cuisine au moins deux fois pendant la soirée, tout en regardant la télévision.

6 h à 18 h	18 h à 6 h
muffin et café	fromage et craquelins
salade et	un morceau de pain
vinaigrette faible en calories	deux ou trois bâtonnets de carottes
	dîner: poulet
	riz
	carottes
	salade
	pain
	maïs soufflé
	yogourt glacé

De 6 h à 18 h: Votre métabolisme fait du temps supplémentaire. Il veut brûler des calories pour que le corps fonctionne bien, mais vous ne lui en avez pas donné assez. Eh bien... c'est vous qui êtes perdante. Vous auriez pu manger davantage et, par conséquent, brûler davantage de calories.

De 18 h à 6 h: Votre métabolisme a glissé sa carte dans l'horodateur; sa journée de travail est terminée. Il a fini de brûler des calories et il se prépare à dormir. C'est l'heure où les cellules adipeuses se mettent au travail à leur tour. On ne brûle plus de calories, on les emmagasine. Et vous avez donné à votre corps un tas de calories à emmagasiner.

	VOTRE CORPS RÉCLAMAIT	VOUS AVEZ MANGÉ	DIFFÉRENCE
6 h à 18 h	1 500 calories	500 calories	- 1 000 calories
18 h à 6 h	500 calories	1 500 calories	+1 000 calories

Ce qui précède n'est qu'un exemple. Votre corps fonctionne sans doute différemment, mais si vous vous alimentez de cette façon, vous emmagasinez tous les soirs un excédent de calories. S'il ne s'agit pas d'un excédent de 1 000 calories comme dans notre exemple, mais bien de 200 ou 500 ou 800 calories, un excédent *reste un excédent.* Où vont ces calories? Elles vont se loger directement dans les cellules adipeuses de vos fesses, de vos hanches et de vos cuisses. Vous ne verrez pas vos cellules adipeuses augmenter de volume à vue d'œil, mais avec le temps vos hanches épaissiront, vos fesses et vos cuisses grossiront.

Patricia, une de mes clientes les plus réfractaires, croyait m'avoir acculée au pied du mur:

— Minute. D'accord, je mange 1 000 calories en trop le soir, mais ces 1 000 calories me manquent pendant la journée. Je n'ai qu'à utiliser le lendemain celles que je consomme en trop la veille.

Eh bien! non. Chaque fois que vous consommez moins de calories que n'en réclame votre organisme, vous entrez dans un semi-jeûne. Souvenez-vous de ce que nous avons dit au sujet des régimes amaigrissants: un déficit calorique provoque l'emmagasinage des graisses. Votre corps utilise ses provisions de sucre et de protéines, et non pas ses provisions de graisse. Il se passe donc ceci: vous transformez 1 000 calories en graisses le soir, et pendant la journée vous allez chercher 1 000 calories dans votre masse musculaire et vos provisions de sucre. On n'affame pas une cellule adipeuse.

La solution est pourtant simple: *harmonisez votre alimentation à votre métabolisme.* Mangez de préférence pendant la journée et moins le soir. Vous brûlerez les calories diurnes; vous emmagasinerez les calories nocturnes. Rien de plus simple.

Il y a deux moyens efficaces pour vous habituer à manger de préférence pendant la journée et à harmoniser votre alimentation à votre métabolisme:

1. Prenez votre dîner plus tôt.
2. Faites de votre dîner un repas plus frugal.

Dans les années trente, un certain médecin donnait à ses patients un «régime amaigrissant absolument garanti». Tous ses patients qui lui furent fidèles ont perdu du poids et sont restés minces toute leur vie. Savez-vous en quoi consistait ce «régime»? Puisque c'était une réussite totale, il ne pouvait s'agir d'un «régime» dans le sens où nous l'entendons. En réalité, il consistait en une seule et unique directive: prenez votre repas du soir avant 17 h. Ce médecin n'interdisait aucun aliment à ses patients, ne comptait pas les calories, ne leur vendait pas de plats préparés. Ils pouvaient manger n'importe quoi, du moment qu'ils le mangeaient avant 17 h. Cette formule s'est avérée un succès pendant plus de cinquante ans, mais nos horaires modernes ne nous permettent malheureusement pas de dîner avant 17 h. Quand pourriez-vous dîner, alors? Seriez-vous en mesure de dîner à 18 h 30 au lieu de 19 h 30? Pourriez-vous dîner plus tôt le dimanche? Le moindre petit changement peut contribuer à votre perte de poids.

Si vous ne pouvez pas dîner plus tôt, soit vers 17 h ou 18 h, parce que vous travaillez tard ou que vous avez d'autres engagements, faites de ce dîner le repas le plus frugal possible. Si, en mettant en pratique la stratégie précédente, vous avez pris l'habitude de prendre plusieurs mini-repas par jour, vous avez dû constater que votre collation de l'après-midi vous a aidée à prendre un dîner moins copieux. Cette formule a certes aidé Jeannette. Quand elle se mit à apporter des bretzels au bureau pour sa collation de 15 h 30, elle n'eut plus besoin de manger en entrant à la maison. Elle prit l'habitude de marcher au retour du travail, ce qui contribuait à l'empêcher de penser à la nourriture, et elle se brossait les dents tout de suite après le dîner. Quand elle se sentait fatiguée, elle allait au lit. Elle prit l'habitude de manger de préférence pendant la journée, perdit plus de sept kilos de graisse et vint à bout de ses cellules adipeuses.

Mangez modérément à midi, prenez une collation dans l'après-midi et faites en sorte que votre dîner soit lui aussi une collation. Un bol de céréales, une soupe, une salade, un demi-sandwich, ou du yogourt avec des fruits peuvent composer un repas rassasiant. Avez-vous déjà pensé à dîner d'un bol de céréales? Vous pouvez quand même faire du dîner votre plus gros repas de la journée si, comparé aux autres mini-repas et maxi-collations, il est le moins copieux possible. Et n'oubliez pas de le prendre le plus tôt que vous le pouvez.

Le dîner copieux pris en soirée est un produit de la société nord-américaine. Nous nous contentons d'un petit déjeuner très frugal (quand nous petit-déjeunons), à midi, nous déjeunons légèrement, et le soir, nous prenons un dîner copieux. Cette façon de faire correspond exactement à l'inverse de nos besoins caloriques. Dans la plupart des autres cultures, le repas le plus important est celui du midi. Il n'y a pas de quoi s'étonner si ces sociétés connaissent moins de problèmes d'embonpoint que nous. Les gens brûlent des calories au lieu de les emmagasiner. Cette stratégie pour berner vos cellules adipeuses n'est pas mon invention. Nos amis et nos cousins d'Europe s'alimentent ainsi, comme le faisaient aussi nos grands-parents et nos ancêtres. Plus notre repas du soir a pris de l'importance, plus nous avons pris du poids.

La société industrielle et les emplois de 9 h à 17 h ne nous permettent plus de petit-déjeuner et de déjeuner copieusement. Nous sommes pressés d'aller travailler le matin et, avec un peu de chance, notre pause de midi dure trente minutes. Nous sommes loin des nôtres toute la journée, de sorte que le dîner est devenu le plus important des repas, celui que l'on prend en famille ou entre amis. Rien ne vous oblige à renoncer à ce moment privilégié avec votre famille et vos amis. Faut-il qu'un repas partagé soit copieux? Pourquoi ne pas donner plus de prix à la conversation qu'à la nourriture?

— Je veux bien dîner légèrement et le plus tôt possible, mais qu'en sera-t-il de ma famille?

Dîner légèrement et tôt convient à toute la famille. Si vous songez aux habitudes alimentaires des jeunes enfants, vous verrez qu'ils préféreraient prendre une collation plutôt que manger un repas copieux et qu'ils n'hésiteraient pas à sauter le repas du soir si on leur en donnait la permission. Notre corps serait-il biologiquement conçu pour des repas légers et diurnes?

Même si cette stratégie convient aux autres membres de la famille, vous vous heurterez peut-être à beaucoup de résistance si vous essayez de modifier les habitudes de tout le monde.

— Chéri, j'ai rapetissé le dîner.

Votre conjoint, votre mari, vos enfants ou toute personne avec qui vous partagez votre repas du soir rechignera peut-être en s'apercevant que celui-ci a diminué de moitié. Je ne veux surtout pas semer la zizanie. Vous aurez beau expliquer à vos proches les bienfaits d'un dîner plus léger, leur donner ce chapitre à lire, ils ne seront pas forcément disposés à modifier leurs habitudes. Si vous ne pouvez transformer le comportement des autres, vous pouvez changer le vôtre. Asseyez-vous à table avec eux, servez-les comme d'habitude, et réservez-vous de plus petites portions.

Jusqu'à présent, cette stratégie a comporté deux volets:

1. Prenez votre repas du soir le plus tôt possible.
2. Faites du dîner un repas frugal.

Que se passe-t-il après le dîner? Ce troisième volet est très important.

3. Ne grignotez pas pendant la soirée.

Marguerite dînait vers 18 h et avait diminué sa portion de moitié. Jusque-là, tout allait bien. Le plus difficile venait après. Elle grignotait sans arrêt de 20 h à 22 h. Grignoter en soirée augmentera le volume de vos cellules adipeuses, je vous le garantis. Votre métabolisme se repose, vous n'avez pas faim puisque vous venez de dîner. Plus vous mangez tard, plus vous emmagasinez des graisses.

Le grignotage en soirée est un passe-temps typiquement nord-américain. Nous sommes à la maison, entourés de nourriture, les publicités à la télévision nous incitent à manger et la nourriture est pour nous un réconfort. Voici quelques-unes des raisons qui, selon mes clientes, nous poussent à grignoter le soir:

Mon complice m'y entraîne. Votre mari, votre conjoint ou votre colocataire peut être votre complice.

— Veux-tu de la crème glacée? demande-t-il en toute innocence. Parfois même, il ne vous demande rien mais vous apporte une portion généreuse de votre crème glacée préférée. Il se déculpabilise sans doute s'il n'est pas seul dans son forfait! Peut-être mangez-vous de la crème glacée ensemble tous les soirs à 21 h depuis 10 ans? Rien ne vous oblige à en manger encore 10 autres années. Parlez à votre complice. Demandez-lui de se retenir de vous offrir de la nourriture ou, si besoin est, de savourer sa portion de crème glacée dans une autre pièce.

La nourriture me parle le soir. Béatrice prétendait que certains aliments possèdent des cordes vocales.

— Béatrice, c'est moi, ta tablette de crème glacée préférée. Je suis sous le repas congelé à faibles calories. Viens vite me chercher.

Si c'est votre cas et qu'il vous est impossible de garder des aliments à la maison sans subir les affres de la tentation, n'en ayez pas. Mais je ne veux pas non plus que vous vous priviez. Si cette crème glacée vous fait réellement envie, prenez la voiture et allez vous en acheter. Vous donner tant de mal prouve que vous en voulez vraiment.

Manger m'aide à m'endormir. Certaines personnes prétendent faire de l'insomnie si elles ne mangent pas avant d'aller se coucher.

— Je ne peux pas dormir si je ne mange pas quelque chose avant d'aller au lit.

Que mangez-vous?

— Un double sandwich au jambon et fromage sur pain de seigle.

Vos cellules adipeuses seront ravies — c'est tout un repas. C'est vrai, on a sommeil quand on a le ventre plein. Le sang dévie du cerveau vers l'estomac pour faciliter la digestion. Vous dormez bien, mais vous grossissez aussi. Je ne vous dis pas de vous coucher affamée: vous devez manger quand vous avez faim. Mais avez-vous vraiment assez d'appétit pour un tel sandwich? Avez-vous déjà essayé d'aller vous coucher sans manger de sandwich? Il y a trois ans? Alors, essayez de nouveau. Si vous avez vraiment faim au moment d'aller dormir, mangez quelques craquelins et buvez un verre de lait.

Manger m'aide à me détendre. Vous vous êtes levée à 5 h 30 pour avoir le temps de faire votre marche matinale. Vous vous êtes préparée pour le travail, vous avez habillé les enfants et vous les avez conduits à la garderie. Vous avez raté le covoiturage, vous êtes restée coincée dans un bouchon de circulation, et vous êtes arrivée en retard à votre réunion. Votre secrétaire s'est déclarée malade, votre belle-mère vous a téléphoné, vous avez 12 appels à effectuer. Vous deviez remettre un travail avant midi, rencontrer un client pour déjeuner et mettre un point final à deux autres dossiers avant 17 h. Vous êtes passée chez le nettoyeur, vous avez cueilli les enfants à la garderie et préparé le dîner. Vous avez rangé la cuisine, donné un bain aux enfants, et votre belle-mère a encore téléphoné. AU SECOURS!!! Il n'y a pas de quoi s'étonner si certaines femmes ressentent le besoin de manger pour se détendre. Mais manger est-il vraiment la solution? Manger devient alors une cause supplémentaire de stress, puisque vous vous culpabilisez de le faire.

Quelles que soient vos raisons pour grignoter en soirée, est-ce que grignoter comble vraiment vos besoins? Le meilleur conseil qu'on m'ait jamais donné me fut offert par ma collègue, le Dr Dee Tivenan, une thérapeute merveilleuse. Elle m'a aidée et a aidé beaucoup de mes clientes à se poser les questions suivantes:

1. Qu'est-ce que je ressens?
2. De quoi ai-je vraiment besoin?

Ces deux questions recouvrent souvent des réponses complexes mais révélatrices. La plupart des gens ne sont pas en contact avec leurs émotions. Si vous ignorez ce que vous ressentez, vous ne saurez pas davantage ce dont vous avez besoin. Vous continuerez à grignoter en soirée tant que vous ne saurez pas identifier vos émotions et vos besoins réels. Plus vous prendrez l'habitude de vous poser ces questions, plus vous découvrirez que manger n'apporte pas toujours une réponse à vos besoins.

Voici quelques exemples de ce que vous ressentez peut-être vraiment et de ce dont vous avez vraiment besoin.

Que ressentez-vous?	De quoi avez-vous réellement besoin?
De la fatigue?	D'aller vous coucher? De lire un bon livre?
Du stress?	De respirer profondément? D'aller marcher?
De la solitude?	D'appeler une amie? D'aller au cinéma?
De la tristesse?	D'une étreinte? D'un bouquet de fleurs?
De la colère?	De crier? De taper dans un coussin?

Vos besoins diffèrent sans doute de ceux de ces exemples, mais vous ne le saurez pas tant que vous ne vous serez pas posé la question. Vous devez prendre l'habitude d'identifier vos besoins à ce moment précis.

— J'arriverais au fond de la boîte de biscuits avant de me rappeler que j'ai oublié de me poser ces questions.

Charlotte dut fixer des aide-mémoire sur les portes d'armoire et sur le réfrigérateur pour parvenir à prendre cette habitude.

Je dois encore souligner un point important à propos du grignotage en soirée. Grignoter en soirée désorganise votre métabolisme. Si vous grignotez le soir, vous n'avez pas faim au réveil et vous sautez le petit déjeuner. Ensuite, vous commencez seulement à consommer vos calories quotidiennes vers midi, moment où, affamée, vous prenez un déjeuner copieux. Vous dînez le soir et vous grignotez en soirée. Lorsqu'une de mes clientes insiste pour dire: «Je n'ai jamais faim le matin; la seule idée de manger me donne la nausée», je lui demande si elle grignote en soirée. Si vous mangez le soir, vous digérez très peu pendant la nuit, vous vous levez l'estomac plein et vous n'avez pas faim. Dès que vous harmoniserez votre alimentation avec votre métabolisme en mangeant moins le soir, vous aurez faim le matin et envie de manger.

Il se peut que votre métabolisme diffère de la norme. En effet, certaines personnes sont des oiseaux de nuit. Leur énergie est au plus haut dans la soirée, elles ne se couchent pas avant 3 h et dorment jusqu'à 10 h. Faites en sorte que cette stratégie fonctionne dans votre cas en harmonisant vos habitudes alimentaires avec votre métabolisme. Assurez-vous que vous mangez pendant les 12 premières heures de la journée, quelle que soit l'heure de votre réveil. Si vous travaillez de nuit, vous devrez prévoir quelques ajustements et prendre votre repas le plus important au lever, avant de vous rendre au travail.

Maintenant que vous savez tout ce que vous devez savoir pour prendre l'habitude d'une alimentation diurne, mettons cette stratégie en pratique...

Plan d'action de la méthode OFF: semaines 7 et 8

Stratégie OFF: Habituez-vous à manger de préférence le jour.

Objectifs OFF:
1. Continuez de mettre en pratique les tactiques des semaines 1 à 6.
2. Harmonisez votre alimentation avec votre métabolisme en consommant plus de calories le jour que le soir.
3. Apprenez à contrôler vos grignotages nocturnes.
4. Continuez d'effectuer trois séances d'exercices par semaine (si vous avez envie d'en faire quatre, allez-y) et portez la durée de chacune à 35 minutes.

Techniques OFF:
1. Prenez votre repas du soir le plus tôt possible.
2. Faites de votre dîner le repas le plus frugal possible.
3. Faites en sorte que votre déjeuner soit votre dîner.
4. Faites en sorte que votre dîner soit votre souper.
5. Faites en sorte que votre repas du soir soit une collation.
6. Prenez une collation l'après-midi pour ne pas avoir trop d'appétit au dîner.
7. Occupez-vous après le dîner.
8. Trouvez d'autres façons de vous détendre.
9. Trouvez d'autres façons de vous aider à dormir.
10. Souvenez-vous que vos cellules adipeuses ne dorment jamais.
11. Demandez-vous: «Ai-je vraiment faim?»
12. Demandez-vous: «Qu'est-ce que je ressens au juste? De quoi ai-je réellement besoin?»
13. Faites une liste des activités autres que manger qui peuvent vous réconforter.

14. Faites vos exercices en soirée.
15. Dites-vous qu'à 18 h votre métabolisme se met au ralenti.
16. Si vous travaillez de nuit, prenez votre repas le plus important au réveil, avant de vous rendre au travail.
17. Utilisez l'échelle appétit/satiété.
18. **Pour vous aider à mettre ces techniques en pratique, tenez un registre alimentaire pendant deux semaines.**

Vous avez compris que la tenue de registres fait partie intégrante de la méthode **OFF**. À chaque segment de deux semaines, vous développez de nouvelles aptitudes et vous prenez de nouvelles habitudes. Vous noterez cette fois l'heure à laquelle vous prenez vos mini-repas et vos maxi-collations (l'important n'est pas ce que vous mangez) pour vous aider à prendre l'habitude de manger le jour. Vous continuerez de mesurer votre appétit avec l'échelle appétit/satiété et de noter comment se répartissent vos aliments entre les repas et les collations. Il importe de remarquer l'heure à laquelle vous mangez. Exemple:

ÉCHELLE APPÉTIT/SATIÉTÉ
POUR UNE ALIMENTATION DIURNE

HEURE	REPAS OU COLLATION	APPÉTIT	QUANTITÉS APPROXIMATIVES	SATIÉTÉ
6 h 30	petit déjeuner	4	225 g céréales	5
			235 ml lait	
			175 ml jus	
9 h 30	collation	4	120 ml yogourt	5
			1 fruit	
12 h 15	déjeuner	3	1/2 sandwich	5
			1 fruit	
			1 boisson gazeuse	
15 h 00	collation	4	1/2 sandwich	5
18 h 00	dîner	3	85 g viande	5
			225 g carottes	
			115 g riz	

À quelle heure vous êtes-vous levée? À 6 h.

Avez-vous pris vos mini-repas et vos maxi-collations pendant les 12 premières heures de la journée? Oui! J'ai même dîné avant 18 h!

Comme pour les autres stratégies, choisissez ce qui convient à votre cas particulier. Si vous ne rentrez pas à la maison avant 19 h 30, vous ne pourrez pas dîner tôt. En revanche, vous pourrez prendre une collation tard dans l'après-midi et manger très légèrement le soir.

Ce système est plein de bon sens (j'espère que vous êtes d'accord), mais il se peut qu'il éveille en vous une certaine frustration.

- Comment puis-je manger plus pendant la journée quand mon travail est si stressant que j'ai à peine le temps d'aller aux toilettes?
- Comment puis-je prendre un petit déjeuner copieux quand je dois préparer les deux enfants pour l'école?
- Comment puis-je faire pour prendre le temps de bien déjeuner quand je dispose d'à peine 30 minutes et que j'ai toujours des courses à faire?

C'est sans doute difficile, voire impossible. Ce qui compte, ce n'est pas ce que vous *ne pouvez pas faire,* mais bien ce que vous *pouvez faire.*

- Puis-je dîner un peu plus tôt?
- Puis-je faire du dîner un repas plus léger?
- Puis-je prendre une collation l'avant-midi?
- Puis-je prendre une collation l'après-midi?
- Puis-je cesser de grignoter avant d'aller dormir?

Vous n'êtes pas obligée de mettre cette stratégie en pratique tous les jours de votre vie. Vous sortez dîner entre amis au restaurant ce samedi soir? Pourquoi pas? Un repas plus copieux le soir de temps à autre ne gonflera pas vos cellules adipeuses. Un repas copieux tous les soirs les fera augmenter de volume.

Tenez vos registres alimentaires pendant deux semaines. À la page suivante, vous trouverez un registre vierge qui pourra vous servir de modèle.

ÉCHELLE APPÉTIT/SATIÉTÉ
POUR UNE ALIMENTATION DIURNE

HEURE	REPAS OU COLLATION	APPÉTIT	QUANTITÉS APPROXIMATIVES	SATIÉTÉ
_____	_____	_____	_____	_____
			_____	
			_____	
_____	_____	_____	_____	_____
			_____	
			_____	
_____	_____	_____	_____	_____
			_____	
			_____	
_____	_____	_____	_____	_____
			_____	
			_____	
_____	_____	_____	_____	_____
			_____	
			_____	
_____	_____	_____	_____	_____
			_____	
			_____	
_____	_____	_____	_____	_____
			_____	
			_____	

À quelle heure vous êtes-vous levée?_____
Avez-vous pris vos mini-repas et vos maxi-collations pendant les 12 premières heures de la journée? _____

Prochaine étape pour aérobiser vos cellules adipeuses

Au point où vous en êtes, chaque minute de plus d'exercice à intensité moyenne est une minute de plus où vous brûlez des calories. Vos enzymes lipolytiques sont activées après 30 minutes, et prêtes à éliminer les graisses.

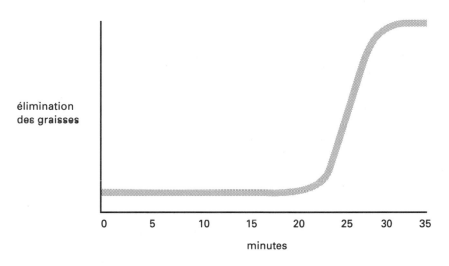

Au cours de ce segment de deux semaines, prolongez chaque séance d'entraînement de 5 minutes. Au terme de ces deux semaines, vous vous entraînerez trois fois la semaine à raison de 35 minutes par séance. C'est le minimum que vous devez faire, mais rien ne vous oblige à vous en tenir au minimum. Si vous vous sentez pleine d'énergie et de résistance, allez jusqu'à 40 ou 45 minutes. Si vous en avez envie, ajoutez une journée de plus à raison de 35 minutes.

Souvenez-vous de ceci:

- Restez dans la zone lipofuge (intensité moyenne).
- Chantez *Frère Jacques* toutes les cinq minutes.
- Planifiez votre horaire d'entraînement avec réalisme.

Chapitre 10

Semaines 9 et 10: Éliminez le gras de votre alimentation

Eh bien! il était temps. Nous voici parvenues à la dernière stratégie **OFF**. Allez-vous enfin me dire quels aliments me sont permis et quels aliments me sont interdits?

Non. Je vais plutôt vous renseigner sur le contenu de gras des aliments pour que *vous* décidiez de ce que *vous* voulez manger.

Je l'ai dit 100 fois dans cc livre et je le répète: aucun aliment ne vous fera grossir si vous mangez quand vous avez faim, modérément. Tout aliment vous fera grossir si vous en mangez quand vous n'avez pas faim et que vous en mangez trop.

Maintenant que j'ai répété cette vérité une fois de plus, permettez que j'ajoute un détail: si nous classions les aliments selon leur aptitude à être emmagasinés dans vos cellules adipeuses sous forme de graisse, les aliments riches en matières grasses occuperaient le premier rang. Abuser des aliments gras fait plus grossir qu'abuser des hydrates de carbone ou des protéines pour la raison suivante: le gras ne requiert aucune transformation pour être emmagasiné. Vos cellules adipeuses n'ont pas beaucoup à faire pour emmagasiner le gras que vous venez de manger avec votre hamburger et vos frites.

Les hydrates de carbone (ou glucides) et les protéines occuperaient le deuxième rang. Ceux-ci requièrent de l'énergie et des efforts pour être convertis en graisse avant d'être emmagasinés. Donc, si vous mangez à l'excès, vous grossirez davantage si vous consommez du gras que si vous consommez des glucides et des protéines. De quelle façon? Lisez la suite.

Si vous consommez 100 calories de gras dont votre organisme n'a pas besoin, il n'utilisera que 3 calories pour digérer et métaboliser les graisses. Quatre-vingt-dix-sept de ces calories iront donc se loger dans vos cellules adipeuses.

Si vous consommez 100 calories de glucides ou de protéines dont votre corps n'a pas besoin, il lui faudra au moins 25 calories pour les digérer et les convertir en graisse. Soixante-quinze calories iront donc se loger dans vos cuisses.

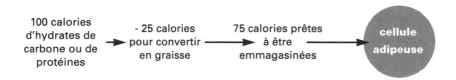

— Donc, si je me gave, une baguette ou une dinde seront moins dommageables qu'un sac de croustilles?

Laure cherchait un moyen de se gaver tout en perdant du poids. Désolée, c'est impossible. Vous grossirez si vous mangez toute une baguette. Vous grossirez juste un peu plus si vous vous empiffrez de croustilles.

Manger n'importe quoi à l'excès augmentera le volume de vos cellules adipeuses, mais manger des aliments riches en gras à l'excès est ce qui les fera le plus grossir — environ 25 p. 100 de plus que si vous mangiez trop d'hydrates de carbone ou de protéines. Voilà la première raison qui doit vous convaincre de diminuer votre consommation de gras. Mais il n'y a pas que cette première raison; il en existe une deuxième: le gras n'est pas le combustible préféré du corps pour fonctionner au maximum de sa capacité. Tous vos organes et toutes vos cellules préfèrent les glucides (sauf vos cellules adipeuses, car elles ne requièrent pas d'énergie). La plupart des gens croient encore que les hydrates de carbone (ou glucides) font grossir. Le pain, les pommes de terre, les pâtes alimentaires, le riz et tous les autres féculents ne font pas grossir si vous n'en mangez pas trop. C'est le gras que nous leur ajoutons qui fait grossir: le beurre, la margarine, la crème sure, le fromage en crème.

Les hydrates de carbone sont digérés et absorbés sous forme de glucose. Le glucose est le meilleur combustible qui soit pour toutes les cellules et tous les organes. Lorsque vous mangez une pomme de terre, elle se transforme en glucose en pénétrant dans votre sang, et ce glucose est transporté à son tour par les capillaires jusqu'aux cellules du cerveau (ou du foie ou des poumons) pour être utilisé.

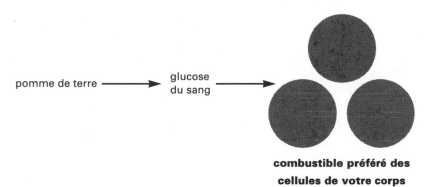

pomme de terre ⟶ glucose du sang ⟶

combustible préféré des cellules de votre corps

Les protéines ne sont pas la source énergétique préférée de vos cellules (nous avons vu dans le chapitre 8 que les protéines, qui facilitent la concentration, ne sont pas une source énergétique). Elles sont en revanche la matière première préférée de vos cellules musculaires. Si vous mangez une poitrine de poulet sans peau, vous la digérerez sous forme d'acides aminés qui pénétreront dans votre sang, qui seront transportés par vos capillaires et qui seront enfin absorbés par vos muscles si ceux-ci en ont besoin.

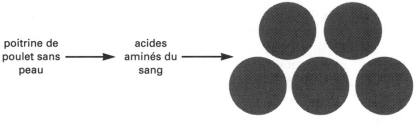

**matière première des
cellules musculaires**

Bien entendu, si vos cellules n'ont pas besoin de glucose et vos muscles de protéines parce que vous avez mangé à l'excès, vous savez où vont se loger ce glucose et ces protéines...

Le gras n'est pas une source énergétique efficace pour vos cellules ni une matière première pour vos muscles. Le rôle du gras se limite à emmagasiner des calories. Vos cellules n'utiliseront des graisses pour fonctionner que si elles ne peuvent pas faire autrement.

Quand vous mangez une poignée de noix de cajou (essentiellement composées de gras), elles se transforment en triglycérides (une molécule de graisse) et pénètrent dans le sang pour être transportées par les capillaires. Elles iront peut-être trouver une cellule cérébrale et lui demanderont la permission d'entrer, mais la cellule cérébrale répondra:

— Désolée. Vous ne m'intéressez pas, mais je prendrais bien un peu de ce glucose qui est derrière vous.

Elles iront ensuite frapper à la porte d'une cellule musculaire, mais celle-ci répondra:

— Désolée, vous ne m'intéressez pas non plus, mais je prendrais bien ces acides aminés qui vous accompagnent.

Les pauvres triglycérides rejetés voyageront par les capillaires jusqu'aux cellules adipeuses et frapperont à leur porte.

— Nous sommes si heureuses de vous voir. Nous vous attendions. Nous vous avons préparé une belle grande cellule. Entrez, entrez, et faites comme chez vous.

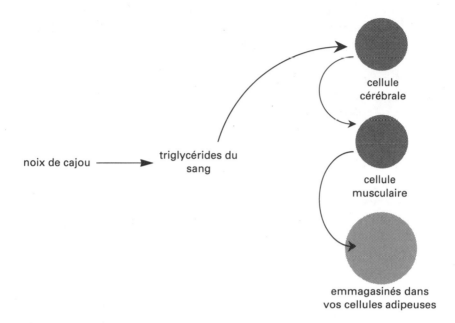

Ne plaignez pas la graisse; elles est très satisfaite de son rôle de rétentrice.

Êtes-vous enfin convaincue que plus le pourcentage de matières grasses dans vos aliments est élevé, plus grosses seront vos cellules adipeuses? Je l'espère, parce que cette dernière stratégie **OFF**, qui a pour objectif d'éliminer le gras de votre alimentation, est la touche finale qui vous aidera à berner vos cellules adipeuses. Vous vous en porterez mieux et vous réduirez aussi les risques de maladies.

La décision de diminuer votre consommation de gras est la plus importante de toutes celles qui conduiront à une transformation de vos habitudes alimentaires. Je pourrais écrire un livre sur le gras, sur son lien avec toutes sortes de maladies, sur les graisses alimentaires, sur les différentes sortes de gras, mais je ne dispose que de ce chapitre. Je puis néanmoins résumer mon message en une seule phrase: il n'y a pas de bon gras. Si le gras n'est pas associé aux maladies cardiovasculaires, il est associé au cancer; s'il n'est pas associé aux maladies cardiovasculaires et au cancer, il entraîne une augmentation du volume des cellules adipeuses.

Vous n'êtes pas la seule pour qui cette question des matières grasses semble bien compliquée. La tête nous tourne et nous capitulons parce que nous ne savons plus quel gras choisir:

- Margarine ou beurre?
- Fromage à la crème ou margarine?
- Fromage à la crème léger ou ordinaire?
- Huile d'olive ou huile de maïs?

En ce qui concerne le maintien du poids santé, aucune option n'est préférable aux autres. Pour vos cellules adipeuses, toutes les matières grasses sont égales. Les cellules adipeuses n'ont pas de chouchous. Elles adorent tous les gras: animal ou végétal, saturé ou non saturé. Je compte donc vous aider à diminuer *tous* les types de gras dans votre alimentation. Si vous n'exagérez pas votre consommation de matières grasses, quelles qu'elles soient, vos cellules adipeuses n'augmenteront pas de volume.

J'ai beau répéter 1 000 fois: «Il n'y a pas de bon gras; limitez votre consommation de graisses, quelles qu'elles soient», mes clientes ne cessent de me demander: «Quelle est la meilleure margarine?» Il n'y a pas de meilleure margarine. Il n'existe pas de bon gras. Vous pourriez hésiter pendant deux heures au comptoir des produits laitiers de votre supermarché, peser le pour et le contre de la publicité et des renseignements qui figurent sur les étiquettes de margarine, vous ne seriez pas plus avancée. Il n'y a pas de meilleure margarine. Mon conseil? Passez tout droit; ne vous arrêtez pas au comptoir des produits laitiers. Si vous devez absolument en acheter, peu importe que ce soit du beurre ou de la margarine, du moment que vous *en consommez le moins possible.*

Cela étant dit, vous *avez besoin* d'un peu de gras dans votre alimentation. Certaines matières grasses sont essentielles à la vie. Or, s'il n'y a pas de bon gras, y a-t-il au moins un gras qui soit moins dommageable que les autres? Pas pour vos cellules adipeuses, mais si l'on se fie aux résultats des recherches les plus récentes, il existe peut-être un gras moins dommageable que les autres pour le cœur. L'huile d'olive bénéficie de l'approbation générale, car on a découvert qu'elle a un effet bénéfique sur le taux de cholestérol. Certaines personnes ont donc cru qu'elles pouvaient en utiliser autant qu'elles le désiraient, et vident une bouteille d'huile d'olive par semaine. Il y a 10 ans, on vous disait de fuir l'huile d'olive; aujourd'hui, on vous la conseille. Que nous dira-t-on dans 10 autres années? C'est le mouvement classique du balancier: bon/mauvais. Ce qui était mauvais pour vous hier est bon pour vous aujourd'hui, et ce qui était bon pour vous hier est mauvais pour vous aujourd'hui.

Le meilleur conseil que je puisse vous donner est le suivant: si vous devez utiliser une matière grasse, que ce soit la plus petite quantité possible. Ce conseil vaut pour tous les gras: huile d'olive, huile de maïs, beurre ou margarine. Si vous consommez des quantités raisonnables de gras, quel qu'il soit, vous ne menacez ni vos cellules adipeuses ni votre santé.

Qu'est-ce qu'une quantité raisonnable de gras? Combien de gras pouvez-vous consommer en une seule journée? Je pourrais vous conseiller d'acheter un programme informatique sophistiqué ou vous faire faire une équation mathématique complexe pour déterminer quelle quantité de gras vous convient, mais je ne le ferai pas. Je déteste les maths sans doute encore plus que vous, et il me semble que transformer votre mode de vie et faire de l'exercice est plus productif que les maths.

Voici donc une méthode facile et peu coûteuse pour calculer votre consommation de gras. Apprenez à mesurer vous-même votre consommation. Appelons-le le système MECOGRAS:

ME   — mesurez
CO   — votre consommation
GRAS — de gras

Il s'agit de choisir chaque jour des aliments dont la proportion moyenne de gras total, répartie sur 24 heures, est relativement faible.

Donc, à vos questions: «Qu'est-ce qu'une proportion moyenne de gras?» et «Quelle quantité de matière grasse puis-je consommer?», je répondrai que pas plus de 20 p. 100 de vos calories quotidiennes ne devraient provenir des matières grasses. Votre corps utilise des calories pour fonctionner, et non pas des grammes. Votre corps ne s'intéresse pas au poids des aliments, il veut savoir combien de calories il y puisera. Vous savez sans doute déjà que le gras contient au moins deux fois plus de calories que les glucides et les protéines.

1 gramme de gras	contient 9 calories
1 gramme de glucides	contient 4 calories
1 gramme de protéines	contient 4 calories

À poids égal, le gras contient au moins deux fois plus de calories. Voilà pourquoi je ne saurais vous indiquer le nombre précis de grammes auxquels vous pourriez avoir droit. Tout dépend du nombre de calories que vous consommez en une journée, et ce nombre varie d'un individu à l'autre. Nous allons plutôt apprendre ici à estimer le pourcentage de calories provenant des matières grasses et comment parvenir à une consommation totale de gras ne dépassant pas 20 p. 100 de notre consommation calorique.

Les spécialistes ne s'entendent pas sur le pourcentage maximal de gras que l'on peut consommer. Certains d'entre eux préconisent une proportion de 30 p. 100; d'autres d'un maximum de 10 p. 100. Pour ma part, je conseille une proportion de 20 p. 100 environ de l'apport calorique total. Voici pourquoi:

30 p. 100 de gras	- assez faible pour réduire les risques de maladies et vous aider à conserver votre poids.
20 p. 100 de gras	- assez faible pour réduire *de beaucoup* les risques de maladies cardiovasculaires et pour perdre du poids.
10 p. 100 de gras	- assez faible pour réduire les risques de maladies en général et pour perdre du poids (ce n'est pas trop faible pour être néfaste), mais vous pourriez aussi éprouver un sentiment de frustration et de privation.

Certaines personnes parviennent à limiter leur consommation de gras à 10 p. 100 toute leur vie sans ressentir de frustration. Si c'est votre cas, persévérez. D'autres, comme moi et comme la plupart de mes clientes, réduisent jusqu'à 10 p. 100 leur consommation de gras pendant environ un mois, puis elles se sentent seules et frustrées. Elles ne peuvent plus aller au restaurant. Elles ne peuvent plus aller à des réceptions ou à des fêtes.

Elles n'ont pas le droit de manger du gâteau le jour de leur anniversaire. Elles se rebellent, elles se disent «Ah, tant pis!» et elles passent de 10 p. 100 à 50 p. 100. Une proportion de 20 p. 100 est le juste milieu qu'il vous faut. Vous n'aurez pas l'impression de vous priver, vous réduirez les risques de maladies et vos cellules adipeuses diminueront de volume.

Pour vous assurcr que les calories de votre alimentation proviennent dans une proportion de 20 p. 100 des matières grasses, vous devez vous poser une seule question très importante: «Est-ce que ce que je m'apprête à manger puise moins de 20 p. 100 de ses calories dans les matières grasses ou plus de 20 p. 100 de ses calories dans les matières grasses?

Mesurez votre consommation de gras selon la règle 3 pour 1 du système MECOGRAS: pour chaque aliment dont 20 p. 100 des calories proviennent des matières grasses, choisisscz-cn trois autres dont moins de 20 p. 100 des calories proviennent du gras. Bien entendu, si vous n'optez pas d'emblée pour des aliments riches cn gras, vous n'aurez pas à effectuer ce calcul. Toutefois, puisque la plupart des gens apprécient le goût des matières grasses, il devient nécessaire de mesurer votre consommation de gras pour parvenir à une alimentation maigre. Comment savoir si plus ou moins de 20 p. 100 des calories d'un aliment donné proviennent des matières grasses? La liste suivante vous fournira un excellent point de départ:

FAIBLE TENEUR EN GRAS < 20 P. 100 DES CALORIES PROVENANT DES MATIÈRES GRASSES	HAUTE TENEUR EN GRAS > 20 P. 100 DES CALORIES PROVENANT DES MATIÈRES GRASSES
Végétaux	
fruits et légumes, jus de fruits et jus de légumes, fruits secs, marinades, choucroute	olives, avocats, noix de coco, légumes en purée, huiles végétales
Glucides	
presque tous les pains et céréales, bagels, muffins anglais, pâtes alimentaires, nouilles, riz, maïs,	muffins, biscuits, pain de maïs, gaufres, crêpes, barres granola, croissants, pâtisseries, beignes,

orge, blé concassé, avoine, son, pommes de terre, tortillas de maïs, gâteaux de riz, bretzels, craquelins à l'eau, maïs soufflé à l'air, matzoh

tortillas à la farine, frites, galettes de pommes de terre, croustilles, la plupart des craquelins de fantaisie, maïs soufflé à l'huile et au four micro-ondes, germe de blé

Produits laitiers

lait écrémé, lait écrémé en poudre, lait 1 %, lait de beurre, yogourt maigre ou à faible teneur en gras, yogourt glacé maigre ou à faible teneur en gras, fromage cottage maigre ou à faible teneur en gras, lait glacé, sorbet

lait entier, lait 2 %, crème, moitié moitié, crème fouettée, crème glacée, colorant de café, la plupart des fromages, crème sure, fromage cottage en crème, beurre

Protéines

flétan, cabillaud, aiglefin, sole, flet, vivaneau, thon, thon dans l'eau, blennie, crevettes, pieuvre, palourdes, huîtres, moules, pétoncles, crabe, viande blanche de volaille sans la peau, jambon, bacon canadien, filet de porc, veau, bifteck de ronde, bifteck de flanc, venaison, lapin, bison, blancs d'œuf, légumineuses

saumon, espadon, requin, truite, maquereau, anchois, sardines, viande brune de volaille, viande blanche de volaille avec la peau, presque tout le bœuf, presque tout le porc, presque tout l'agneau, bacon, saucisses, saucisses de Francfort, viandes froides, abats, noix, graines, fèves grillées, beurre d'arachide, tofu, canard, œufs

Divers

consommés, bouillons, la plupart des soupes, épices, herbes salsa, moutarde, ketchup, remoulade, sauce soja, sauce teriyaki, vinaigre, sauce Worcestershire, vin, vinaigrettes sans gras

potages, vinaigrettes préparées, mayonnaise, margarine, huiles, lard, moelle de bœuf

Aliments sucrés et desserts

confitures, gelées, beurre de pomme, sucre, *jelly beans*, bonbons durs, réglisse, sucettes, *popsicles*, barres aux fruits, sorbets, biscuits aux figues, craquelins, biscuits au gingembre, gâteau des anges, guimauve, gélatine

chocolat, tablettes de chocolat, presque tous les biscuits, la plupart des gâteaux, tartes, fudge, barres granola, tofutti, crème glacée

S'il manque quelque chose à cette liste, vous devrez faire un petit calcul ou deviner le mieux possible. Pour la plupart des grandes marques et des aliments préparés, vous trouverez sur les emballages ou les étiquettes l'information qui vous permettra de déterminer le pourcentage de calories qui proviennent des matières grasses. Vous devez seulement connaître le nombre de calories par portion et le poids (grammes) de matière grasse par portion. Puisque vous savez déjà que chaque gramme de gras vous donne neuf calories, il suffit de multiplier d'abord le nombre de grammes de gras par neuf, puis de diviser ce résultat par le nombre total de calories par portion pour obtenir le pourcentage de calories provenant des matières grasses.

$$\frac{\textit{grammes de gras x 9 calories/gramme}}{\text{calories totales par portion}} = \% \text{ calories provenant des matières grasses}$$

Voici un exemple:

calories par portion: 150
grammes de gras: 6

$$\frac{6 \text{ grammes de gras x 9 calories/gramme} = 54 \text{ calories de matières grasses}}{150 \text{ calories totales par portion}}$$

54 calories de matières grasses = 36 % des calories provenant de matières grasses

(le résultat est >20 %, donc, riche en gras)

Si vous ne trouvez pas l'information nutritionnelle recher-chée sur l'emballage, vous devrez calculer à peu près en vous fondant sur la liste des ingrédients. Si l'un des trois premiers in-grédients est une matière grasse, l'aliment est très probablement riche en gras. Même quand l'étiquette dit «peut contenir des huiles partiellement hydrogénées, huile de maïs, huile de tour-nesol, huile d'olive, huile de palme, huile de coco, *shortening,* lard (beûrk!) ou beurre», c'est toujours et encore du gras.

Mettons notre règle de 3 pour 1 en pratique. Vous pourrez ainsi mesurer votre consommation de gras quotidienne sans en perdre la raison. Cela ne signifie pas que vous ne puissiez jamais plus manger un aliment qui contient plus de 20 p. 100 de matière grasse, car cette restriction ne serait pas réaliste. Vous mangerez des aliments riches en gras de temps en temps. Tout ce que vous avez à faire, c'est admettre qu'il s'agit d'un aliment riche en gras et l'équilibrer en choisissant pour l'accompagner trois autres ali-ments à faible teneur en gras. Par exemple, si vous mangez du saumon au dîner, vous savez que le saumon est un poisson gras. Cela signifie-t-il que tout votre repas doit être gras? Non. Vous pouvez équilibrer votre menu avec des aliments maigres pour ac-compagner le saumon.

saumon	> 20 % gras
riz	< 20 % gras
brocoli	< 20 % gras
lait écrémé	< 20 % gras

Votre repas ne sera pas riche en gras; il sera moyennement faible en gras, car vous aurez équilibré votre menu avec *trois ali-ments maigres.* Que se produira-t-il si, au contraire, tout votre menu est riche en gras?

saumon	> 20 % gras
frites	> 20 % gras
brocoli sauce fromage	> 20 % gras
crème glacée	> 20 % gras

Vous ne grossirez pas sur-le-champ d'un kilo, vous n'ob-struerez pas immédiatement vos artères, vous ne multiplierez pas illico vos cellules cancéreuses. Vous aurez tout simplement pris un repas à haute teneur en gras. Et alors? Ne craignez rien: si cela se produit à l'occasion, mettez en pratique la règle de 3 pour 1: équilibrez votre consommation de gras en faisant de vos *trois prochains repas* des repas à faible teneur en gras.

PETIT DÉJEUNER	DÉJEUNER	DÎNER
céréales	sandwich à la dinde	filet de porc
lait écrémé	moutarde	riz
jus	orange	carottes

Qu'advient-il si vous avez consommé toute la journée des aliments riches en gras — disons, le jour de Noël ou à votre anniversaire? Adoptez cette fois encore la règle de 3 pour 1 et faites en sorte que vos menus *des trois prochains jours* contiennent un minimum de matières grasses.

— Je comprends que ce principe de 3 pour 1 peut m'aider à équilibrer ma consommation de gras; c'est une méthode facile et réaliste. Mais que faire si pendant toute l'année 1994 j'ai consommé des aliments à haute teneur en gras? Dois-je manger maigre tout 1995, 1996 et 1997?

J'ai répondu par l'affirmative et Cécile en est restée bouche bée. Quand on me taquine, je taquine à mon tour. Inutile de dire que, dans un cas semblable, vous n'avez pas à recourir à des solutions aussi extrêmes.

Cette règle de 3 pour 1 n'est pas absolument exacte; elle n'est pas conçue en fonction des quantités de nourriture mais elle est un instrument pouvant vous aider à mesurer et à réduire plus facilement la teneur en gras de votre alimentation. Puisqu'il s'agit d'un principe général, une petite mise en garde s'impose. Au fil des ans, certaines de mes clientes ont interprété littéralement la règle de 3 pour 1 et se sont laissées prendre au jeu du calcul de la teneur en gras. Sophie, par exemple, appliquait ce principe chaque fois qu'elle consommait un aliment contenant beaucoup de matières grasses, de sorte qu'elle en vint à manger à l'excès. Si elle avait envie de petit-déjeuner d'un bagel avec fromage à la crème, elle croyait qu'il lui fallait ajouter à ce menu deux aliments à faible teneur en gras pour que moins de 20 p. 100 des calories de son petit déjeuner provienne des matières grasses. Elle mangeait donc aussi des céréales avec du lait écrémé (avec le bagel, nous avons trois aliments pauvres en gras), mais puisqu'elle se suralimentait, elle transformait en graisses les céréales et le lait et les emmagasinait dans ses cellules adipeuses. L'exemple suivant est encore plus révélateur. Sophie avait envie d'une tablette de chocolat pour sa collation de l'après-midi:

— J'y ai droit si je mange aussi trois grignoteries faibles en gras pour diluer les matières grasses de la tablette de chocolat. Donc, je vais prendre des bretzels, des gâteaux de riz et un yogourt léger.

Elle aurait mieux fait de se contenter de la tablette de chocolat au lieu de trop manger et veiller plus tard à prendre un dîner léger.

Autrement dit, ne mangez pas davantage sous prétexte d'équilibrer votre consommation de gras. Si les aliments gras sont synonymes de cellules adipeuses volumineuses, il en va de même de la suralimentation. Équilibrez vos repas et vos collations quand c'est possible, sans manger à l'excès, mais inquiétez-vous avant tout d'équilibrer votre alimentation totale de la journée. Mettez un peu de fromage sur votre bagel ou accordez-vous cette tablette de chocolat, mais assurez-vous qu'à la fin de la journée vous aurez consommé trois fois plus d'aliments maigres que d'aliments gras.

Vous avez maintenant une liste d'aliments à faible teneur en gras (moins de 20 p. 100) et à haute teneur en gras (plus de 20 p. 100). Vous savez évaluer la proportion de matière grasse d'un produit d'après les étiquettes. Vous connaissez à fond la règle de 3 pour 1 et vous pouvez la mettre en pratique de façon réaliste, sans vous suralimenter. Vous devez quand même vous méfier du gras caché. Comme le veut le dicton: «Il y a deux espèces de blattes dans les restaurants: celles qu'on voit et celles qu'on ne voit pas.» Il y a aussi deux types de gras dans les aliments: celui qu'on voit et celui qu'on ne voit pas. On suppose que certains aliments sont faibles en gras. Ne supposez rien. Calculez ou puisez vos renseignements dans un guide nutritionnel — ou encore, déposez l'aliment sur un essuie-tout pendant une trentaine de minutes. Vous serez étonnée par la variété de craquelins, de grignoteries, de pain, etc., qui laissent une trace de gras sur le papier.

Vous constaterez aussi avec étonnement à quel point la préparation des aliments peut modifier leur teneur en gras. Un aliment faible en gras au naturel, mais auquel on ajoute certains ingrédients en le faisant cuire peut facilement devenir un aliment riche en gras. Voici quelques exemples frappants:

crevette	8 % gras	frite	45 % gras
morue	7 % gras	panée et frite	62 % gras
laitue	0 % gras	avec 15 ml vinaigrette	38 % gras
bagel	5 % gras	avec 30 ml fromage en crème	39 % gras
courgette	0 % gras	sautée dans 15 ml d'huile	90 % gras
baies	0 % gras	avec 45 ml de crème	39 % gras
pâtes alimentaires	0 % gras	avec 115 g de sauce Alfredo	54 % gras
sandwich/dinde	16 % gras	avec 15 ml mayonnaise	47 % gras
pomme de terre	0 % gras	avec 15 ml beurre	53 % gras
		avec 30 ml crème sure	60 % gras

On trouve maintenant de nombreux bons livres de recettes de cuisine légère, et je vous incite à les utiliser, mais j'aimerais aussi vous indiquer ci-dessous six techniques de cuisson qui peuvent beaucoup diminuer la proportion de matière grasse des aliments que vous préparez.

1. Sautez les aliments dans un poêlon anti-adhérent.
2. Sautez les aliments avec un enduit anti-adhérent en vaporisateur, du bouillon de poulet ou du vin.
3. Utilisez des confitures de fruits au lieu de margarine ou de beurre dans vos pâtisseries.
4. Préférez le lait écrémé évaporé au lait entier ou à la crème.
5. Enlevez le gras de la viande avant la cuisson et dégraissez le jus de cuisson.
6. Préférez les aliments grillés, braisés ou cuits au four aux aliments poêlés ou frits.

Il existe encore une façon de vous aider à diminuer sensiblement votre consommation de gras. Énumérez 10 aliments riches en gras que vous avez l'habitude de manger régulièrement. Ces 10 aliments sont les principaux responsables de la teneur en gras de votre alimentation. Ce ne sont pas les frites que vous vous permettez une fois par mois, mais les croustilles de tortillas que vous grignotez tous les jours qui vous font le plus de tort. Ces deux prochaines semaines, efforcez-vous de leur trouver des équivalents légers dont le goût vous plaira et qui vous rassasieront. En guise d'exemple, voici la liste d'une de mes clientes:

ALIMENTS RICHES EN GRAS	SUBSTITUTS LÉGERS
margarine	marmelade
crème glacée	yogourt glacé léger
croustilles de pommes de terre	bretzels
arachides	maïs soufflé à l'air
muffin au son	bagel
craquelins	craquelins à l'eau
lait 2 %	lait 1 %
mayonnaise	moutarde
olives	cornichons

— Mais je ne peux pas me passer de crème sure avec ma pomme de terre au four.

Céline a essayé toutes sortes de substituts: fromage cottage, yogourt léger, salsa — rien ne la rassasiait autant que sa crème sure. Il se peut que certains aliments riches en gras soient pour vous irremplaçables. Si tel est votre cas, allez-y, mais mangez-en le moins possible. Il est très important d'aimer ce que l'on mange.

Sachez choisir vos aliments

La diminution de votre consommation de gras est votre option la plus importante en matière de choix alimentaires. La quantité d'information que je vous ai donnée doit vous aider à faire ce choix. Mais les conseils nutritionnels que nous recevons donnent plus de poids à d'autres aspects d'une bonne alimentation. On nous recommande de manger des aliments riches en fibres, faibles en sel, faibles en sucre et sans cholestérol. Si vous observiez ces directives, vous ne mangeriez que des céréales et des légumes (les fruits sont riches en sucre), vous souffririez d'anémie et vous mourriez peut-être d'une carence protéique.

Les fibres. Les aliments riches en fibres sont excellents pour le cœur et le système digestif. Je vous incite à augmenter la proportion de fibres de votre alimentation, mais optez alors pour des fibres faibles en gras, par exemple le pain entier et les céréales, les fruits et les légumes. Les muffins au son sont pour moi un éternel sujet de récrimination. Toute l'Amérique du Nord mange des muffins au son riches en fibres pour le petit déjeuner. Vous entrez chez un pâtissier, vous faites un survol des gâteries en vitrine, vous hésitez devant les bouchées au fromage, puis vous dites avec assurance:

— Donnez-moi un muffin au son, je vous prie. Je vais rendre service à mon côlon aujourd'hui.

Eh bien! ce muffin contient beaucoup plus de gras que de fibres, et ce gras ne rendra certainement pas service à votre côlon. Une alimentation pauvre en fibres et riche en gras est associée au cancer du côlon.

Le sel. Voilà 20 ans qu'on nous dit de couper le sel. Si on vous surprend avec la salière en main, on vous lance un regard réprobateur. Tous ne sont pas sensibles au sel (en réalité, seulement 15 p. 100 de la population réagit mal au sel), mais nous sommes tous sensibles aux matières grasses. Si nous éliminions tous le sel de notre alimentation, seulement 15 p. 100 de la population verrait chuter sa pression sanguine. Je ne vous dis pas de ne pas prendre le sel au sérieux (vous faites peut-être partie de ces 15 p. 100) ni d'en manger beaucoup — le sel est tout de même mauvais pour les reins — mais d'en consommer modérément et de vous méfier des matières grasses. Il est préférable que vous mangiez des bretzels salés plutôt que des croustilles sans sel. Il convient de saler vos pommes de terre plutôt que de leur ajouter du beurre.

Le sucre. On m'a beaucoup demandé: «Pourquoi avez-vous énuméré des aliments sucrés et des desserts légers dans votre liste d'aliments faibles en gras?» Parce que nos papilles gustatives apprécient le sucre. Si vous avez envie d'un dessert ou d'un biscuit ou d'une quelconque sucrerie, je préfère que vous la choisissiez dans la liste des aliments légers plutôt que dans celle des aliments riches. La plupart des «sucreries» contiennent une plus grande proportion de matières grasses que de sucre. Si vous avez envie de quelque chose de sucré, pourquoi augmenter du même coup votre consommation de gras si ce n'est pas nécessaire?

— Vous voulez dire que je peux manger du sucré du moment qu'il contient peu de gras? me demandent, étonnées, de nombreuses femmes.

Eh bien! oui et non. Vous pouvez manger du sucré quand vous en avez vraiment envie, quand vous avez faim, que vous savourez chaque bouchée et que vous n'en abusez pas. Je ne vous dis pas que vous devez en manger chaque jour ni que vous devez en manger à l'excès. Je dis que si vous avez envie de sucré, vous avez intérêt à choisir un aliment sucré à faible teneur en gras et à n'en manger que si vous avez faim. Si vous n'en mangez pas à l'excès, le sucre ne se transforme pas en graisses et n'est pas associé aux maladies cardiovasculaires ou aux cancers. En outre, contrairement à ce qu'on pense généralement, il n'est pas davantage associé au diabète. Une alimentation sans sucre est utilisée comme traitement contre le diabète, mais une alimentation riche en sucre n'est pas une cause de diabète. La seule conséquence directe de la consommation de sucre est la carie dentaire. Brossez-vous les dents aussitôt après en avoir mangé. Cependant, si vous mangez trop de sucre, l'excédent se transforme en graisse: vous grossirez et vous augmenterez vos risques de maladies.

Le cholestérol. On nous a bombardés de conseils à propos du sel, du sucre et aussi du cholestérol. Comme on se sent vertueux quand on me dit:

— Je ne mange plus de viande rouge. J'ai renoncé aux viandes rouges depuis deux ans, car elles contiennent trop de cholestérol.

Quand je demande à ces personnes ce qu'elles mangent en fait de protéines, elles mentionnent souvent des cuisses de poulet, du fromage, des noix, du saumon — aliments contenant encore plus de gras que la viande rouge!

Il n'est pas nécessaire de renoncer aux viandes rouges pour vous assurer que votre alimentation ne contient pas plus de 20 p. 100 de matières grasses. Vous le pouvez si vous le voulez, mais vous pouvez aussi opter pour des viandes rouges maigres telles que la ronde ou le flanc de bœuf. Je sais, on nous a répété sur tous les tons: «NE MANGEZ PAS DE VIANDE ROUGE», mais le sens de ce message était en réalité: «NE MANGEZ PAS D'ALIMENTS PROTÉINÉS RICHES EN GRAS, QUELLE QUE SOIT LEUR COULEUR».

Le plus important en ce qui concerne les viandes est le mode de cuisson. Les viandes grillées sont préférables aux viandes frites, et plus on les cuit, plus le gras s'en échappe et moins elles en contiendront. Si vous aimez votre bifteck saignant au point où il pourrait s'enfuir tout seul de votre assiette, il contiendra plus de gras que si vous l'aviez cuit plus longtemps.

Vous n'avez pas à vous inquiéter du cholestérol si vous avez une alimentation faible en gras. Le cholestérol ne devient un problème que dans le cas d'une alimentation à haute teneur en gras. Parlons un peu de cette question complexe du cholestérol. Nous en entendons toujours parler, mais savons-nous en quoi il consiste? Le cholestérol n'est pas du gras. C'est une substance ayant l'apparence du gras qui agit comme élément nutritif dans notre organisme. Vos cellules, votre cerveau et vos hormones ont besoin de cholestérol pour fonctionner, mais vous n'avez pas besoin d'en consommer pour en avoir, car c'est votre foie qui le fabrique. Certaines personnes ont génétiquement tendance à fabriquer plus de cholestérol que d'autres.

Le cholestérol provenant de votre alimentation devient du cholestérol dans votre sang uniquement s'il est combiné avec des gras saturés (gras animal, huile de palme, huile de coco, gras hydrogénés). Si vous optez pour des aliments à faible teneur en gras et que votre alimentation totale ne puise pas plus de 20 p. 100 de ses calories dans les matières grasses, le cholestérol contenu dans les aliments ne sera pas absorbé par le sang. Par exemple, les crevettes ont la réputation de contenir de grandes quantités de cholestérol. C'est vrai, mais les crevettes sont également très faibles en gras. Les crevettes n'auront pas à elles seules une grande incidence sur votre taux de cholestérol sanguin. Mais si vous les faites frire ou que vous les faites sauter au beurre ou que vous les accompagnez de frites, vous augmenterez sûrement votre taux de cholestérol. Vous avez ajouté aux crevettes les gras saturés nécessaires au transport du cholestérol dans votre sang.

Parce que nous sommes devenus depuis quelques années plus conscients (certains diront «obsédés») du cholestérol et des maladies cardiovasculaires, les publicités insistent beaucoup sur les mentions «sans cholestérol» ou «tant pour cent de moins de cholestérol». Nous croyons alors que ce nouveau produit amélioré constitue un bon choix et nous l'achetons, mais un aliment sans cholestérol peut tout de même contenir 100 p. 100 de matières grasses. De nombreuses personnes achètent de la mayonnaise faible en cholestérol, de l'huile sans cholestérol, des craquelins faibles en cholestérol en pensant qu'ils sont par le fait même faibles en gras, mais quand elles découvrent que la mayonnaise contient 99 p. 100 de gras, que l'huile est composée à 100 p. 100 de gras et que la plupart des craquelins de fantaisie contiennent 50 p. 100 de gras, elles comprennent enfin que cholestérol et gras ne sont pas synonymes.

Aliments faibles en gras. Si les mentions de cholestérol réduit ne veulent pas dire grand-chose, qu'en est-il des aliments dits «légers» ou contenant «tant pour cent moins de gras»? Ils sont préférables aux autres, n'est-ce pas? Pas vraiment. Ne vous laissez pas berner. Beaucoup d'aliments sont dits «légers» parce qu'ils sont plus clairs ou tout simplement moins lourds, et non pas parce qu'ils sont moins gras. Pour ce qui est des aliments contenant «tant pour cent moins de gras», ce résultat est obtenu en leur ajoutant de l'eau. L'eau ne contient pas de calories; elle dilue les graisses et les calories.

La publicité alimentaire est souvent mensongère lorsqu'elle prétend que tel aliment est «à 95 p. 100 sans gras». Plusieurs d'entre vous se disent: «Merveilleux! Seulement 5 p. 100 de gras!» et achètent le produit. Sachez que la plupart des entreprises alimentaires évaluent la proportion de gras en fonction du poids, non pas en fonction des calories. N'oubliez pas que votre corps n'a que faire du poids des aliments; ce qui lui importe, c'est la quantité de calories qu'ils contiennent. Expliquer la différence entre le pourcentage de gras par rapport au poids et le pourcentage de gras par rapport aux calories est un peu compliqué, mais essayons toujours.

Imaginons un aliment quelconque. La plupart des aliments contiennent du gras, des hydrates de carbone, des protéines et de l'eau. Notre aliment imaginaire contient:

1 g de gras	fournissant	9 calories
1 g d'hydrates de carbone	fournissant	4 calories
1 g de protéines	fournissant	4 calories
1 g d'eau	fournissant	0 calories

4 g au total	17 calories au total

Si j'étais le P. d. g. de cette société, ce serait à mon avantage de calculer la proportion de gras de cet aliment en fonction de son poids. Il pèse 4 grammes, dont 1 gramme de gras, de sorte que l'aliment en question se compose de 25 p. 100 de gras par rapport à son poids. C'est très voisin de la recommandation de 20 p. 100 ou moins. Mais ce 20 p. 100 doit être calculé en fonction du nombre total de calories et non pas en fonction du poids total. Si nous mesurons la proportion de gras en fonction des calories, voici le résultat que nous obtenons:

1 gramme x 9 calories/gramme = 9/17 calories totales
53 % des calories provenant des matières grasses

Si, en tant que P. d. g., je veux offrir au consommateur une version «légère» ou «réduite en gras» de cet aliment, je n'ai qu'à lui ajouter de l'eau. L'eau augmente le poids total de l'aliment sans augmenter le nombre des calories, car l'eau ne contient pas de calories.

1 g de gras	fournissant	9 calories
1 g d'hydrates de carbone	fournissant	4 calories
1 g de protéines	fournissant	4 calories
17 g d'eau	fournissant	0 calories

20 g au total	17 calories au total

Voyez ce qui s'est produit: le pourcentage de gras en fonction du poids a considérablement baissé, mais le pourcentage de gras en fonction des calories est demeuré le même. Le produit pèse maintenant 20 grammes dont 1 gramme provient des matières grasses, de sorte que le pourcentage de gras en fonction du poids n'est plus que de 5 p. 100. Le producteur peut se vanter de vendre un produit «à 95 p. 100 sans gras». C'est vrai en fonction du poids, c'est faux en fonction des calories. Ne croyez pas ce que prétendent les étiquettes. Ne vous fiez qu'à vos calculs.

Gras artificiels. Voilà la vérité concernant de nombreux produits à faible teneur en gras ou sans gras. Mais qu'en est-il des gras artificiels? Puisque tous mes clients m'interrogent à leur sujet, vous vous posez sans doute aussi des questions. Sont-ils sains? M'aideront-ils à diminuer ma consommation de gras?

Un certain nombre de gras artificiels viennent d'être approuvés ou sont sur le point de l'être. Jusqu'à présent, on n'a constaté aucun effet néfaste, mais que découvrirons-nous dans 10 ans? La question demeure. Ils ne sont pas sur le marché depuis assez longtemps pour que nous puissions évaluer leurs effets à long terme.

Peuvent-ils nous aider? Selon certains chercheurs, ils peuvent nous aider à réduire la quantité de gras dans notre alimentation, tandis que d'autres prétendent qu'ils n'auront pas une grande incidence sur nos habitudes alimentaires. Il est encore trop tôt pour le savoir, mais si ces gras artificiels ressemblent aux édulcorants artificiels, leurs bienfaits seront limités. Le marché offre des édulcorants artificiels depuis une quarantaine d'années et, depuis, notre consommation de sucre ainsi que notre poids moyen ont augmenté. Mon opinion vaut ce qu'elle vaut, mais selon moi, si cela ne vient pas de Mère Nature, notre corps n'a pas été conçu pour le manger.

Je voudrais vous convaincre de l'importance d'une alimentation faible en gras, mais je ne voudrais pas que vous poussiez cette question à son extrême limite. Certaines de mes clientes sont atteintes de ce que j'appelle la «lipo-hystérie». Elles veulent une alimentation contenant 0 p. 100 de gras. Elles jurent qu'elles n'avaleront jamais un aliment qui en contient et qu'elles n'en donneront jamais à leurs enfants. En tant qu'adultes, un peu de gras (environ 5 p. 100 de nos calories) est nécessaire à notre bien-être. Les enfants en requièrent encore davantage (au moins 30 p. 100 de leurs calories) pour une croissance normale du cerveau et du corps. Vous ne voulez pas mettre en péril la vie et la santé mentale de votre enfant, n'est-ce pas?

Bref, nous avons abordé dans ce chapitre cinq concepts ayant pour objectif de diminuer notre consommation de gras. Voulez-vous manger moins de gras et réduire le volume de vos cellules adipeuses?

1. Si vous mangez un aliment riche en gras, que ce soit la plus petite quantité possible.
2. Équilibrez votre consommation quotidienne de gras en appliquant la règle de 3 pour 1.
3. Trouvez des substituts rassasiants pour remplacer les produits à haute teneur en gras dans votre alimentation.
4. Sachez choisir vos aliments en accordant la priorité aux aliments à faible teneur en gras, puis aux fibres, enfin aux aliments faibles en sel, faibles en sucre et faibles en cholestérol.
5. Méfiez-vous de la publicité, des emballages et des étiquettes.

Maintenant que vous savez tout ce que vous devez savoir pour diminuer votre consommation de matières grasses, mettons cette dernière stratégie en pratique...

Plan d'action de la méthode OFF: semaines 9 et 10

Stratégie OFF: Éliminez le gras de votre alimentation.

Objectifs OFF:
1. Continuez de mettre en pratique les tactiques des semaines 1 à 8.
2. Faites en sorte que 20 p. 100 seulement des calories que vous consommez proviennent des matières grasses.
3. Sachez déceler le gras caché des aliments en lisant les étiquettes.
4. Faites chaque semaine trois (ou quatre ou cinq) séances d'exercices de 40 minutes chacune.

Stratégie OFF:
1. Rappelez-vous qu'il n'y a pas de bon gras.
2. Planifiez vos choix alimentaires, vos repas et votre alimentation quotidienne en fonction de la règle de 3 pour 1.
3. Posez-vous la question suivante: quel pourcentage (moins de 20 p. 100 ou plus de 20 p. 100) des calories de cet aliment provient-il des matières grasses?

4. Consultez la liste des aliments non gras.

5. En utilisant les renseignements nutritionnels que nous vous avons fournis, mesurez le pourcentage de calories provenant des matières grasses que contiennent les produits alimentaires que vous achetez.

6. Apprenez à lire les étiquettes des aliments que vous achetez pour calculer leur teneur en gras.

7. Substituez des aliments légers et rassasiants à 10 aliments riches en gras que vous consommez de façon régulière.

8. Faites le test du gras caché: déposez l'aliment sur un essuie-tout et oubliez-le pendant 30 minutes.

9. Ajoutez moins de gras à vos aliments.

10. Préférez les méthodes de cuisson sans gras.

11. Sachez choisir vos aliments en accordant la priorité aux aliments à faible teneur en gras, et ensuite seulement aux fibres, aux aliments faibles en sel, en sucre et en cholestérol.

12. Grillez les viandes ou cuisez-les au four, jusqu'à cuisson moyenne ou jusqu'à ce qu'elles soient bien cuites.

13. Ne croyez pas tout ce que dit l'emballage d'un produit, calculez vous-même sa teneur en gras.

14. **Tenez vos registres alimentaires pendant deux semaines pour maîtriser ces techniques.**

Les registres de la dernière stratégie **OFF** comprendront l'heure à laquelle vous mangez, votre niveau d'appétit, votre niveau de satiété. Mais vous devrez aussi indiquer pour chaque aliment s'il doit plus ou moins de 20 p. 100 de ses calories aux matières grasses. Servez-vous de tout ce que vous avez appris dans ce chapitre: la liste des aliments maigres, les étiquettes d'emballage, les listes d'ingrédients. À la fin de la journée, faites le total des aliments contenant plus de 20 p. 100 de gras et le total de ceux qui en contiennent moins de 20 p. 100. En appliquant la règle de 3 pour 1, voyez si vous avez consommé trois fois plus d'aliments faibles en gras que d'aliments riches en gras, ou, en d'autres termes, si 75 p. 100 de vos aliments sont faibles en gras. Voici un exemple.

LE DERNIER REGISTRE: ÉLIMINEZ LE GRAS
DE VOTRE ALIMENTATION

HEURE	APPÉTIT	QUANTITÉS APPROXIMATIVES	< 20 % GRAS	> 20 % GRAS	SATIÉTÉ
6 h 30	4	muffin anglais	√		5
		beurre		√	
		jus	√		
9 h 30	3	4 bretzels	√		5
		lait écrémé	√		
12 h 15		1/2 sandwich-jambon	√		
		fromage		√	5
		moutarde	√		
		pain	√		
		pomme	√		
15 h 39	4	1/2 sandwich-jambon	√		6
		fromage		√	
		moutarde	√		
		pain	√		
18 h 30	3	saumon-petite portion		√	5
		115 g riz	√		
		115 g brocoli	√		
		yogourt glacé sans gras	√		
		TOTAL	14	4	
				x 3	
			14	12	

Règle de 3 pour 1: les aliments > 20 % sont-ils
3 fois moins nombreux que les aliments < 20 % gras? **Oui!**

Si, après avoir tout tenté, vous ne connaissez pas encore le contenu en gras d'un aliment, estimez-le approximativement. Votre jugement est aussi bon que le mien. Est-il gras au toucher? Au goût?

Voici la question clef: que ferez-vous dans un an? Si vous vous efforcez de ne manger que des aliments qui contiennent moins de 20 p. 100 de gras, dans un an vous aurez capitulé. Si vous avez juré de ne plus jamais manger de chocolat parce que le chocolat contient beaucoup de matières grasses, combien de temps tiendrez-vous le coup?

La modération et l'équilibre sont le secret d'une saine alimentation faible en gras. Vous en développerez très vite le réflexe. Vous saurez quels aliments sont gras et quels aliments sont maigres. Vous équilibrerez votre consommation quotidienne de gras sans vous en rendre compte. Nous vous proposons ci-après un registre vierge qui pourra vous servir de modèle.

LE DERNIER REGISTRE: ÉLIMINEZ LE GRAS DE VOTRE ALIMENTATION

HEURE	APPÉTIT	QUANTITÉS APPROXIMATIVES	< 20 % GRAS	> 20 % GRAS	SATIÉTÉ
____	____	____	____	____	____
____	____	____	____	____	____
____	____	____	____	____	____
____	____	____	____	____	____
____	____	____	____	____	____
____	____	____	____	____	____
____	____	____	____	____	____
____	____	____	____	____	____
____	____	____	____	____	____
____	____	____	____	____	____
____	____	____	____	____	____
____	____	____	____	____	____
____	____	____	____	____	____
____	____	____	____	____	____
____	____	____	____	____	____

TOTAL

x 3

____ ____

Règle de 3 pour 1: les aliments > 20 % sont-ils
3 fois moins nombreux que les aliments < 20 % gras?

Prochaine étape pour aérobiser vos cellules adipeuses

Les «prochaines étapes» sont-elles de plus en plus faciles? Je l'espère. Elles sont censées le devenir. Vous vous entraînez déjà trois fois la semaine; prolongez maintenant chacune de vos séances de quelques minutes. À la fin de la dixième semaine, vous ferez trois séances hebdomadaires d'exercices de 40 minutes chacune. Dites-vous qu'après 30 minutes, vous brûlez des calories à chaque minute. Donc, au cours d'une séance de 40 minutes, vous brûlez des calories pendant 10 minutes d'exercice.

Bien entendu, si vous avez envie de vous entraîner un jour ou deux de plus, allez-y. Ce qui compte, c'est de vous entraîner pendant 40 minutes consécutives à intensité moyenne.

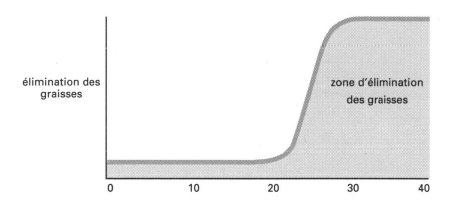

Aide-mémoire:

- Demeurez dans la zone lipofuge (intensité moyenne).
- Chantez *Frère Jacques* toutes les cinq minutes.
- Planifiez votre horaire d'entraînement avec réalisme.

Chapitre 11

Semaines 11 et 12:
La méthode **OFF** en vacances

Seigneur! Je ne peux croire que j'y suis parvenue! J'ai mis en pratique les six stratégies, j'ai modifié mes habitudes alimentaires, je fais de l'exercice, et je me sens merveilleusement en forme. Mais j'appréhende le temps des Fêtes qui approche. Je grossis toujours aux Fêtes, c'est systématique. On voit des amis, on voyage, on fête en famille, on mange davantage... pour moi, les Fêtes sont devenues la saison «un-kilo-par-jour». Je ne plaisante pas: l'an dernier, j'ai pris cinq kilos. Que va-t-il m'arriver cette année?

La nervosité de Marcelle s'estompa vite, car la méthode **OFF** travaillait pour elle. Elle n'a pas pris un gramme tout en s'amusant beaucoup. La méthode **OFF** la suivit partout: restaurants, dîners chez des amis, fêtes familiales, hôtels, même à bord de l'avion. La méthode étant devenue un réflexe, elle la mit automatiquement en pratique partout où elle alla pendant la période des Fêtes.

Félicitations! Vous aussi avez réalisé des changements importants dans votre vie grâce aux six stratégies de la méthode **OFF**, et j'aimerais que vous persévériez encore deux semaines. J'aimerais aussi vous donner des trucs pour emporter la méthode **OFF** avec vous en voyage, et pour mettre ses stratégies en pratique *de façon réaliste* (mots clefs) pendant les vacances, au restaurant et à l'occasion des congés.

Au terme de ce segment de deux semaines, vous évaluerez le progrès accompli et verrez si oui ou non vous avez commencé à berner vos cellules adipeuses. Je sais, le verbe «évaluer» est inquiétant: «Et si j'étais recalée?» La méthode **OFF** ne peut pas vous recaler. Vous ne recevez pas de notes, vous n'êtes comparée à personne. Vous n'êtes pas obligée de perdre un nombre précis de kilos ou un pourcentage précis de gras corporel. Cette évaluation vise seulement à déterminer ce que vous avez accompli jusqu'à présent et ce que vous pourrez faire encore dans l'avenir. Ne vous en inquiétez pas pour l'instant; le moment venu, je vous aiderai. Arrêtons-nous plutôt à ces occasions spéciales qui nous font négliger notre programme d'exercices et s'organisent autour de la nourriture, ces moments où notre attitude et nos convictions sabotent tous nos efforts. Reconnaissez-vous ces excuses?

- L'Halloween n'arrive qu'une fois par année.
- C'est la Saint-Valentin. J'ai le droit de manger du chocolat.
- C'est mon anniversaire. Je mérite mon gâteau préféré.
- Je suis en vacances, loin de tout, même de mon programme d'exercices.
- J'en veux pour mon argent au restaurant; je ne laisse rien dans mon assiette.

Ces attitudes sont on ne peut plus normales... de temps à autre. Qu'est-ce que cela peut faire que vous mangiez un peu plus de bonbons à l'Halloween, ou que vous vous permettiez deux portions de votre gâteau préféré le jour de votre anniversaire, ou que vous preniez congé de vos exercices pendant quelques jours? L'ennui est que ces occasions spéciales ne se produisent pas seulement de temps en temps. C'est fête environ une fois par mois; les anniversaires, les fêtes, les sorties, les occasions spéciales reviennent parfois une fois la semaine. Diane est parvenue à trouver une excuse pour justifier ses excès alimentaires presque tous les jours:
— C'est l'anniversaire de mon chat; c'est l'anniversaire de la mère d'une amie; c'est jour de paie; c'est aujourd'hui que je fais ma déclaration de revenus d'impôts; c'est vendredi.
Même si vous ne recherchez pas les occasions spéciales pour vous justifier de manger à l'excès, une fête vous guette toujours

au tournant. Si vous vous accordez, aussi souvent qu'il y a un congé ou une fête, la permission de manger à l'excès, vos cellules adipeuses vont s'amuser plus que vous ne sauriez l'imaginer.

Les congés

Un excès occasionnel ne sabotera pas tous vos efforts et ne doublera pas le volume de vos cellules adipeuses. Cependant, de l'Action de Grâce au Nouvel An, il n'y a pas que l'occasionnelle fête, il y a cinq semaines de festivités. Vous connaissez?

C'est l'Action de Grâce. Quelle autre excuse vous faut-il pour vous gaver de milliers de calories? Vous avez tant mangé que vous devez défaire votre ceinture et vous allonger sur le divan pendant deux heures. Puisque vous avez déjà tout bousillé, vous vous accordez un sandwich à la dinde avant d'aller dormir trois heures plus tard et encore un autre au réveil le lendemain matin (sans compter la portion de tarte à la citrouille que vous mangez au petit déjeuner). Ensuite, vous vous dites qu'il n'y a plus que quatre semaines avant Noël, les fêtes et les sorties, alors pourquoi vous donner la peine d'exercer un quelconque contrôle sur votre alimentation? Après tout, vous ne l'avez jamais fait auparavant. Puis, tout à coup, c'est déjà le Nouvel An, et vous résolvez de perdre les quatre kilos que vous avez pris depuis l'Action de Grâce.

Avec la méthode **OFF,** vous n'aurez sans doute pas besoin d'autres conseils pour traverser un congé, car cette méthode modifie vos habitudes et vos comportements. Mais si vous craignez de répéter les erreurs passées et que vous préférez planifier votre survie, voici quatre suggestions *réalistes* qui vous aideront sans que vous ayez à sacrifier votre plaisir.

1. Ne vous affamez pas. C'est, je crois, la stratégie qui peut le mieux vous aider à contrôler votre alimentation. Que faites-vous, d'habitude, à l'Action de Grâce? La plupart des gens se contentent d'une tranche de pain grillé pour le petit déjeuner et «économisent» leurs calories pour le gueuleton de 16 h. Vous mourez de faim quand les hors-d'œuvre arrivent, de sorte que vous vous en gavez et vous avez déjà le ventre plein avant même de passer à table. Puis, quand tout le monde a été servi, votre assiette ressemble à un Everest que vous mangeriez au lieu de l'escalader.

Si vous n'aviez pas été affamée avant le repas, vous n'auriez pas mangé autant de hors-d'œuvre et votre assiette n'aurait pas ressemblé à l'Everest. Prenez un petit déjeuner ou un déjeuner raisonnable, et prenez une collation avant d'aller dîner pour calmer votre appétit.

2. Mangez ce que vous ne mangez pas d'habitude. Mes clientes adorent cette suggestion. Mangez ce que vous avez vraiment envie de manger et que vous ne mangez pas d'habitude. Pourquoi vous servir des portions plus ou moins généreuses de tous les plats quand c'est la farce qui vous tente? Voici ce que je fais à l'Action de Grâce et à Noël. Ce que j'aime, aux Fêtes, ce sont des pommes de terre en purée, des galettes de pommes de terre (ma tante Gladys fait les meilleures galettes au monde. Pardon maman!) et des saucisses (kielbasa).

Ma famille est d'origine polonaise. Nos repas des Fêtes se composent donc de mets traditionnels plus toute une variété de plats polonais. J'avais l'habitude de manger de la dinde, du jambon, de la salade, des courges, du pain, de la farce, des pommes de terre en purée, des galettes de pommes de terre, des saucisses et de la sauce, puis je me servais une deuxième portion de pommes de terre et de saucisses. Maintenant, je me limite aux pommes de terre, aux saucisses et à la sauce, car c'est en fait tout ce qui me fait vraiment envie. Je ne mange qu'une fois ou deux par année de ces plats très spéciaux pour moi et ma famille, je me sens rassasiée et je n'ai pas l'impression de m'être gavée comme une oie.

3. Équilibrez votre consommation de gras. Si vous obéissez au conseil précédent et que vous ne mangez que ce qui vous fait vraiment envie aux repas de fêtes, vous pourriez consommer des aliments riches en gras. Pas de panique! Mettez en pratique la règle de 3 pour 1. Les jours qui précèdent et qui suivent ces repas, optez pour des plats maigres pour que votre alimentation de la semaine soit à faible teneur en gras.

Si c'est vous qui préparez le repas, vous pouvez limiter son contenu en matières grasses. De tout petits changements peuvent avoir beaucoup d'impact. Utilisez un séparateur de sauce pour préparer une sauce moins grasse. Le lait évaporé écrémé vous donnera une purée de pommes de terre faible en gras. Opter pour une dinde fraîche diminuera aussi la proportion de matières grasses de votre repas. La plupart des dindes congelées sont injectées de gras.

Si vous ne préparez pas vous-même le repas, vous pouvez malgré tout contrôler votre consommation de gras. Préférez la viande blanche à la viande brune, évitez de manger du beurre, ne mettez qu'une petite quantité de sauce sur vos pommes de terre, offrez à votre hôtesse un hors-d'œuvre sans gras.

4. Entraînez-vous ce jour-là. Avez-vous déjà songé à vous entraîner le matin de l'Action de Grâce? Maintenant que la méthode **OFF** fait partie de votre vie, vous prévoirez sans doute spontanément une séance d'exercices dans vos activités des jours de fête. L'exercice vous aidera à conserver la maîtrise de votre alimentation et vous fera brûler quelques calories. De nombreux centres de conditionnement physique ne ferment pas complètement leurs portes les jours de fête. Si vous ne pouvez pas vous entraîner ce jour-là, pourquoi ne pas ajouter une séance d'exercices à votre horaire d'entraînement de la semaine? Si vous mangez un peu plus que d'habitude, cela ne vous ferait pas de tort de compenser par un peu plus d'exercice.

Après le repas, pourquoi ne pas aller faire une promenade en famille ou vous adonner à une activité d'extérieur?

— Une promenade en famille? Vous voulez rire! Le seul mouvement dont ils sont capables, c'est aller du divan à la cuisine pour manger, et même ça les fatigue.

Si elle ne peut pas convaincre les membres de sa famille de faire une marche avec elle, rien n'empêche Lucie d'aller marcher *toute seule*.

De telles circonstances se produisent en d'autres occasions, mais moins longtemps ou moins intensément qu'entre l'Action de Grâce et Noël. Appliquez ces principes pour vous aider à traverser les moments difficiles.

— Je n'en reviens pas. Je n'ai pas mangé un kilo de chocolat à la Saint-Valentin comme j'ai toujours fait depuis 10 ans. Moi qui comptais les jours me séparant de la Saint-Valentin, parce que c'était le seul moment de l'année où je me permettais de manger autant de chocolat que j'en avais envie, et Dieu sait que j'en mangeais! Cette année, j'en ai mangé trois morceaux et c'est tout. Je n'en voulais pas plus.

Dorothée n'en voulait pas plus parce qu'avec la méthode **OFF** elle mangeait du chocolat quand elle en avait envie. Le chocolat n'était plus pour elle quelque chose de spécial.

Vous pouvez manger du chocolat à la Saint-Valentin, des bonbons à l'Halloween, de la tarte à la citrouille à l'Action de Grâce, des hot-dogs à la Saint-Jean-Baptiste. Vous priver de ces aliments équivaut à vous mettre au régime. Si vous en avez envie et à la condition d'avoir faim (mais pas trop faim), mangez-en un peu, pas trop, et équilibrez votre consommation de gras.

Les repas au restaurant

Si les repas de fête sont un problème pour certaines personnes, les repas au restaurant sont un problème pour tout le monde. Puisque nous dépensons presque autant d'argent pour les repas au restaurant que pour nos épiceries, nous devons apprendre à duper nos cellules adipeuses quand nous mangeons au restaurant.

— Quand je sors pour dîner, je mange toujours trop. Je me sens terriblement coupable après. Terriblement coupable.

Line se disait que, puisque le pain et le beurre ne coûtaient rien, elle devait en manger autant qu'elle en était capable. Elle croyait aussi que, pour en avoir pour son argent au restaurant, elle ne devait rien laisser dans son assiette. Si vous êtes de cet avis, je puis vous aider.

Une bonne nouvelle: les restaurants commencent à comprendre que nous voulons une alimentation plus saine, moins grasse. Les bouffe-minute offrent des salades et des sandwiches à la poitrine de dinde; dans certains restaurants, la vinaigrette est servie à part; d'autres ont du lait écrémé au menu; d'autres enfin offrent des plats «légers» ou «bons pour le cœur».

Mais tant que ces bonnes habitudes ne seront pas plus répandues, vous devrez prévoir un plan d'action.

1. Posez des questions. Vous avez le droit de poser des questions; vous payez pour cela. Demandez de quelle façon les plats sont apprêtés. Combien de fois avez-vous commandé du poisson ou du poulet, croyant à un choix diététique, pour vous rendre compte qu'il nageait dans une sauce au beurre?

2. Ne mangez pas à l'excès. Comme pour les repas de fête, le principe le plus important consiste peut-être à vous assurer que vous ne vous assoyez pas à table affamée. Plus vous avez faim quand vous entamez votre repas, plus vous avez le ventre plein quand vous avez fini. Pour être sûre de ne pas avoir trop faim à table, calmez votre appétit en grignotant quelque chose avant d'aller au restaurant.

Voici quelques autres suggestions pour vous aider à ne pas trop manger:

- Partagez une entrée avec quelqu'un.
- Commandez une entrée comme plat principal.
- Commandez à la carte.
- Commandez des demi-portions de pâtes ou de salade.
- Demandez qu'on ne vous serve pas les accompagnements dont vous ne voulez pas (tels que les croustilles ou la salade de pommes de terre).
- Emportez les restes.

Patricia trouvait ma prochaine suggestion ridicule jusqu'à ce qu'elle la mette à l'essai. Elle n'avait jamais quitté un restaurant avant d'avoir nettoyé son assiette avec une bouchée de pain. Comme elle ne parvenait pas à laisser de la nourriture dans son assiette, je lui ai suggéré de se faire donner d'avance, pour emporter, la moitié de sa portion. Elle ne la mangeait donc pas. Elle finissait toujours son assiette tout en mangeant moins, puisque sa portion avait d'avance été réduite de moitié.

3. Équilibrez votre consommation de gras. Puisque vous avez vraiment envie de cette omelette au fromage, mangez-la. Mais ce jour-là, optez pour un déjeuner et un dîner sans gras. Demandez qu'on vous serve la vinaigrette à part. Demandez qu'on apprête les légumes sans beurre. Commandez une viande maigre, du poisson ou du poulet grillés, au four ou pochés.

En vacances

En vacances, parfois rien ne va plus. C'est un moment spécial. Vous prenez le plus souvent tous vos repas au restaurant. Pourquoi s'étonner que tant de gens grossissent en vacances? Peut-être maigrissez-vous avant de partir en faisant un régime un mois avant votre départ, mais vous reprenez les kilos perdus et un ou deux kilos en plus. Vous sirotez des piña coladas, vous dînez à 21 h, vous vous offrez des déjeuners copieux. S'il vous est impossible de perdre du poids en vacances, vous pouvez faire en sorte *de ne pas grossir.*

— J'ai emporté la méthode **OFF** en vacances. Je l'ai vraiment emportée. Je l'ai mise dans ma valise, juste à côté de mon survêtement.

Chaque fois que Jocelyne ouvrait sa valise, la méthode **OFF** était là. C'est ce qui l'a empêchée de grossir de deux kilos comme elle le faisait tous les ans à l'occasion de ses vacances à Hawaï.

De plus en plus de gens prennent des vacances-santé: ils vont faire de la randonnée, du camping, de la bicyclette, de la thalassothérapie ou du camping sauvage. Ne vous interdisez pas ce genre de vacances pour planifier un séjour de vingt-quatre heures dans une île reculée. Si vous n'êtes pas prête pour faire du camping sauvage, choisissez au moins un hôtel qui offre un gymnase et des classes de danse aérobique, et un lieu de villégiature qui offre des circuits de promenade sûrs. Lorsque vous choisissez une destination-vacances, tenez compte de ces facteurs importants.

Si vous voyagez beaucoup pour votre travail, votre horaire sera sans cesse chambardé. Il est essentiel que vous donniez la priorité à votre conditionnement physique et que vous l'inscriviez à votre agenda avant chaque départ. Si vous avez des petits déjeuners, des déjeuners et des dîners d'affaires, mettez en pratique mes suggestions pour les repas au restaurant et équilibrez votre consommation de gras. Si vous voyagez en avion, les compagnies aériennes vous offrent habituellement un choix de menus. En commandant votre repas à l'avance, vous serez assurée de sa faible teneur en gras. D'après mon expérience, les repas de poisson et de fruits sont les plus faibles en gras.

Pour résumer, les occasions spéciales et les sorties peuvent être agréables sans nécessairement vous porter à trop manger et à trop boire. Il suffit d'observer quatre principes fondamentaux pendant les congés de fêtes ou les vacances, au restaurant ou à l'occasion d'une réception.

1. Assurez-vous de ne pas avoir trop faim.
2. Choisissez les plats du temps des Fêtes qui vous font vraiment envie.
3. Sachez équilibrer votre consommation de gras et vos goûts alimentaires.
4. Continuez à faire de l'exercice.

Maintenant que vous savez tout ce qu'il faut savoir pour emporter la méthode **OFF** en vacances, mettons cette stratégie en pratique et mesurons le progrès accompli...

Plan d'action de la méthode OFF: semaines 11 et 12

Stratégie OFF: Toutes les six. La méthode **OFF** en vacances.

Objectifs OFF:
1. Continuez de mettre en pratique les tactiques des semaines 1 à 10.
2. Mettez en pratique les six stratégies.
3. Mettez ces stratégies en pratique lors d'occasions spéciales: vacances, sorties, congés.
4. Faites trois (quatre ou cinq) séances d'exercices par semaine de 45 minutes chacune.
5. Notez les changements qui ont marqué vos habitudes en matière d'exercices et d'alimentation.
6. Mesurez votre proportion de gras corporel.

Techniques OFF:
1. Pendant ces deux dernières semaines, tenez encore le registre du chapitre 10 pour vous aider à mettre en pratique l'ensemble des stratégies.
2. Réfléchissez au lien que vous faites entre la nourriture et les occasions spéciales.
3. Faites en sorte de ne pas avoir trop faim avant un repas de fête, un repas au restaurant ou une occasion spéciale.
4. Prenez une petite collation avant de passer à table.
5. Mangez les plats propres à cette occasion et ceux qui vous font vraiment envie.

6. Équilibrez votre consommation de gras.
7. Au restaurant, optez pour des plats légers.
8. Partagez une entrée avec quelqu'un, commandez à la carte, emportez vos restes.
9. Demandez comment les aliments sont apprêtés.
10. En avion, commandez des repas spéciaux.
11. En voyage, emportez votre tenue de conditionnement physique.
12. Choisissez un hôtel qui offre un gymnase ou des classes de conditionnement physique.

La dernière étape pour aérobiser vos cellules adipeuses

Voici sans doute l'étape la plus facile de tout votre programme d'exercices. Vous vous entraînez déjà pendant 40 minutes au moins trois fois la semaine. Contentez-vous d'ajouter cinq minutes à chacune de vos séances. Cinq minutes de plus pour brûler des calories, soit 15 minutes de plus par semaine! Mesurez votre progrès depuis la première semaine: vous avez commencé par une séance hebdomadaire de 10 à 15 minutes; vous ferez maintenant trois séances hebdomadaires de 45 minutes chacune. Quel progrès incroyable!

Aide-mémoire:

- Restez dans la zone lipofuge (intensité moyenne).
- Chantez *Frère Jacques* (si vous en avez assez, changez pour *Au clair de la lune*) toutes les cinq minutes.
- Planifiez votre horaire d'entraînement avec réalisme.

Évaluation

Il est temps pour vous de mesurer le progrès accompli. Quelles améliorations avez-vous apportées à votre mode de vie et à vos habitudes? Quelles améliorations avez-vous fait subir à votre masse graisseuse, à votre masse musculaire, à vos mensurations?

Il y a deux justifications à une telle évaluation:

1. Constater vos progrès.
2. Voir ce qui gagnerait à être amélioré.

— Je ne suis pas sûre de vouloir effectuer cette évaluation. Je ne crois pas être capable de l'accepter si je n'ai pas fait de progrès.

Une telle réaction est fréquente chez mes clientes quand nous en arrivons à ce stade du programme. Laissez-moi vous aider.

Bien entendu, plus vous persévérez dans vos exercices et plus vous êtes fidèle aux principes de la méthode **OFF**, plus vous constaterez d'amélioration. Mais les résultats peuvent varier autant d'une femme à l'autre qu'ils varient entre les hommes et les femmes. Deux femmes vont suivre le même programme d'exercices, consommer la même quantité de gras et la même quantité de calories dans une journée et obtenir des résultats très différents. Le changement que vous constatez dépend de plusieurs facteurs. Certains de ces facteurs sont génétiques, d'autres ont à voir avec le métabolisme de chacune, les régimes passés, les grossesses ou l'âge. Je ne connais pas toutes les raisons de telles variations; personne ne les connaît. Notre corps a une façon très personnelle et mystérieuse de perdre du poids.

Si ce paragraphe vous paralyse de peur, ne vous inquiétez pas. Si vous avez suivi la méthode **OFF**, vous verrez une amélioration, même minime. L'important est que vous vous soyez engagée dans la bonne voie.

Nous allons aborder cette évaluation par degrés, comme nous avons fait tout le reste. Vous mesurerez d'abord les changements qui affectent vos comportements et vos habitudes pour chacune des stratégies **OFF**. Ensuite, vous mesurerez les changements touchant votre analyse corporelle et vos mensurations. La plupart des femmes mettent l'accent sur la transformation de leur silhouette, sur la perte de gras et le gain de muscles. C'est important, mais il me semble plus important encore de mesurer les changements qui affectent votre attitude et vos habitudes. Si vous avez fait des progrès dans les six stratégies, votre silhouette sera transformée. Si vous n'avez pas beaucoup perdu de masse graisseuse dans les trois premiers mois, vous en perdrez dans les trois mois suivants. Vos cellules adipeuses sont têtues. Soyez patiente.

Examinons les changements qui affectent vos habitudes et votre attitude face à la nourriture. Le chapitre 5 vous proposait des questionnaires devant vous permettre d'évaluer vos habitudes avant d'entreprendre la méthode **OFF**. Je ne vous avais pas prévenue alors pour ne pas influencer vos réponses, mais vous allez maintenant remplir ces questionnaires encore une fois. Sans tricher (ne consultez pas vos premières réponses), répondez de nouveau aux questions. Ensuite seulement, reportez-vous au chapitre 5 pour comparer vos réponses actuelles à vos réponses d'il y a trois mois.

STRATÉGIE Nº1: Avez-vous aérobisé vos cellules adipeuses?

Donnez à vos réponses une des valeurs suivantes:

0-Jamais, 1-Rarement, 2-Souvent, 3-Toujours

	Nouveau pointage	Ancien pointage
1. Je préfère le régime à l'exercice.	_____	_____
2. Je déteste faire de l'exercice.	_____	_____
3. Je grossis quand je fais de l'exercice.	_____	_____
4. Je n'ai pas le temps de faire de l'exercice.	_____	_____
5. Je trouve toutes sortes d'excuses pour ne pas faire d'exercice.	_____	_____
6. J'essaie de faire de l'exercice, mais je ne persévère pas.	_____	_____
7. Je me sens trop grosse pour faire de l'exercice.	_____	_____
8. Je m'épuise à faire de l'exercice.	_____	_____
9. Je fais moins de 45 minutes d'exercice.	_____	_____
10. Je fais de l'exercice pour pouvoir manger davantage.	_____	_____
TOTAUX	_____	_____

Amélioration: _____

STRATÉGIE Nº 2: Avez-vous cessé de jeûner et commencé à manger?

Donnez à vos réponses une des valeurs suivantes:

0-Jamais, 1-Rarement, 2-Souvent, 3-Toujours

		Nouveau pointage	Ancien pointage
1.	Je compte les calories.	_____	_____
2.	Je suis au régime, ou entre deux régimes.	_____	_____
3.	Je mange des aliments diététiques.	_____	_____
4.	Je ne contrôle pas mon alimentation.	_____	_____
5.	Le régime est plus important qu'une bonne alimentation.	_____	_____
6.	J'entreprends un régime le lundi.	_____	_____
7.	Je mange pour des raisons émotionnelles.	_____	_____
8.	J'ignore ce que signifie avoir faim.	_____	_____
9.	J'attends d'être affamée pour manger.	_____	_____
10.	Je mange pour ne pas avoir faim plus tard.	_____	_____
	TOTAUX	_____	_____

Amélioration: _____

STRATÉGIE Nº 3: Nourrissez-vous votre corps,
non pas vos cellules adipeuses?

Donnez à vos réponses une des valeurs suivantes:

0-Jamais, 1-Rarement, 2-Souvent, 3-Toujours

	Nouveau pointage	Ancien pointage
1. Je me sens gonflée après avoir mangé.	_____	_____
2. Je nettoie mon assiette.	_____	_____
3. Je mange trop vite.	_____	_____
4. Il y a deux catégories d'aliments: les aliments «permis» et les aliments «interdits».	_____	_____
5. Quand je mange des aliments «interdits», je me sens coupable.	_____	_____
6. J'évite les aliments «interdits» et je me prive.	_____	_____
7. S'il s'agit d'un aliment «diététique», j'en mange autant que je veux.	_____	_____
8. Je mange des aliments sains en trop grande quantité.	_____	_____
9. Je mange trop au restaurant et lors d'occasions spéciales.	_____	_____
10. Je mange debout.	_____	_____
TOTAUX	_____	_____

Amélioration: _____

STRATÉGIE No 4: Mangez-vous moins, plus souvent?

Donnez à vos réponses une des valeurs suivantes:

0-Jamais, 1-Rarement, 2-Souvent, 3-Toujours

		Nouveau pointage	Ancien pointage
1.	Je saute le petit déjeuner.	_____	_____
2.	Je saute le déjeuner.	_____	_____
3.	Je prends trois repas équilibrés par jour.	_____	_____
4.	J'évite de manger entre les repas.	_____	_____
5.	Entre les repas, j'opte pour des aliments sans valeur alimentaire.	_____	_____
6.	Si je dîne à l'extérieur, je mange moins pendant la journée.	_____	_____
7.	J'aime mieux manger que jeter des aliments.	_____	_____
8.	Je me sens gonflée après le repas du midi.	_____	_____
9.	Je me sens gonflée après le repas du soir.	_____	_____
10.	Un repas complet doit comprendre une viande, un légume, des glucides, une salade et un dessert.	_____	_____
	TOTAUX	_____	_____

Amélioration: _____

STRATÉGIE Nº 5: Vous êtes-vous habituée à manger de préférence le jour?

Donnez à vos réponses une des valeurs suivantes:

0-Jamais, 1-Rarement, 2-Souvent, 3-Toujours

		Nouveau pointage	Ancien pointage
1.	Je mange tard le soir.	_____	_____
2.	Je mange avant de me coucher.	_____	_____
3.	Le soir, je grignote en regardant la télévision.	_____	_____
4.	Le repas du soir est le plus copieux de la journée.	_____	_____
5.	Je dîne après 18 h.	_____	_____
6.	Quand je suis seule le soir, je mange sans arrêt.	_____	_____
7.	Je pille le frigo en pleine nuit.	_____	_____
8.	Je me prive de manger pendant la journée et je mange trop le soir.	_____	_____
9.	La première chose que je fais en rentrant du travail ou de mes autres activités, c'est manger.	_____	_____
10.	Manger m'aide à me détendre dans la soirée.	_____	_____
	TOTAUX	_____	_____

Amélioration: _____

STRATÉGIE Nº 6: Avez-vous éliminé le gras de votre alimentation?

Donnez à vos réponses une des valeurs suivantes:

0-Jamais, 1-Rarement, 2-Souvent, 3-Toujours

		Nouveau pointage	Ancien pointage
1.	J'aime le gras.	_____	_____
2.	J'ajoute du beurre ou de la margarine à mes aliments.	_____	_____
3.	J'utilise des huiles pour faire la cuisine.	_____	_____
4.	Je mets de la mayonnaise dans mes sandwiches.	_____	_____
5.	Je mange dans les bouffe-minute.	_____	_____
6.	Je mange des fritures.	_____	_____
7.	Sur les étiquettes, je repère le nombre de calories et non pas le pourcentage de matières grasses.	_____	_____
8.	Je crois que la margarine constitue un meilleur choix que le beurre.	_____	_____
9.	Le cholestérol contenu dans les aliments me préoccupe plus que le pourcentage de gras.	_____	_____
10.	Si l'emballage dit «faible teneur en gras», j'achète.	_____	_____
	TOTAUX	_____	_____

Amélioration: _____

Mesurer votre progrès pour chacune des stratégies n'est pas suffisant; vous devez aussi mesurer votre progrès pour l'ensemble de la méthode **OFF**.

QUEL ÉTAIT VOTRE POINTAGE?

	Nouveau pointage	Ancien pointage
Stratégie n° 1 — Aérobisez vos cellules adipeuses	_____	_____
Stratégie n° 2 — Cessez de jeûner et mangez	_____	_____
Stratégie n° 3 — Nourrissez votre corps, non pas vos cellules adipeuses	_____	_____
Stratégie n° 4 — Mangez moins, plus souvent	_____	_____
Stratégie n° 5 — Habituez-vous à manger de préférence le jour	_____	_____
Stratégie n° 6 — Éliminez le gras de votre alimentation	_____	_____
TOTAL	_____	_____
TOTAL DES AMÉLIORATIONS	_____	_____

Quelles stratégies avez-vous le plus améliorées?

Pour quelles stratégies totalisez-vous encore plus de 15 points?

Sur quelles stratégies devez-vous vous concentrer davantage?

Énumérez les stratégies en commençant par le pointage le plus élevé.

1. _____
2. _____
3. _____
4. _____
5. _____
6. _____

Il importe que vous mesuriez et que vous quantifiiez vos progrès pour les six stratégies **OFF**. Votre objectif n'est pas zéro. Si c'est ce que vous espériez, sachez que cela ne se produira jamais. Les pointages parfaits et l'alimentation parfaite n'existent pas dans la vraie vie. Ce que vous devez faire, c'est diminuer votre pointage et déterminer quelles stratégies exigent de vous encore un peu de persévérance.

— Il y a trois mois, mon pointage pour la stratégie n° 3 «Avez-vous nourri votre corps et non pas vos cellules adipeuses» était de 28 et maintenant il est de 17. J'ai vraiment fait beaucoup d'efforts et je croyais avoir réussi, mais mon pointage est encore supérieur à 15!

Vous avez très bien travaillé! Il y a une nette amélioration puisque votre pointage a baissé de 11 points. Ces transformations prennent du temps. Plus votre pointage initial était élevé, plus il vous faudra du temps pour changer vos habitudes.

Pour les stratégies dont le pointage est supérieur à 15 (ou dont le pointage n'a pas bougé), relisez le chapitre correspondant, fixez-vous des objectifs, tenez vos registres alimentaires, et promettez-vous d'améliorer la situation.

Maintenant, mesurons les changements qui ont affecté votre corps. Plus vos attitudes et vos habitudes se seront améliorées, plus votre apparence aura changé. En premier lieu, faites faire une autre analyse corporelle. Assurez-vous qu'on emploiera la même méthode que la première fois. Si vous vous êtes pesée sous l'eau la fois précédente, pesez-vous sous l'eau cette fois-ci. Chaque méthode peut produire des résultats différents et vous voulez pouvoir mesurer les changements qui ont eu lieu avec exactitude. Si possible, faites faire cette analyse par la même personne. Il y a toujours un facteur d'erreur humaine; vous en minimisez les effets si vous faites analyser votre composition corporelle par la même personne.

Le seul aspect négatif de l'analyse corporelle est qu'elle vous oblige à monter sur le pèse-personne pour mesurer les kilos de graisse en moins et les kilos de muscle en plus. Je sais, je vous avais dit de jeter votre pèse-personne (vous l'avez peut-être donné à une vente de charité ou mis aux ordures), mais ce cas-ci est différent. La seule raison qui doit vous faire monter sur le pèse-personne, c'est la nécessité de savoir en quoi la composition de votre corps a été affectée par la méthode **OFF**.

Malheureusement, trop de femmes se laissent impressionner par les chiffres.

— Quoi! Je n'ai perdu que deux kilos? Même pas un kilo par mois!

Elles se découragent; elles ont pourtant perdu quatre kilos de graisse et pris 2 kilos de muscle. Le pèse-personne réveille notre bonne vieille «mentalité diététique». J'espère que la lecture de ce livre empêchera ce réveil dans votre cas. Si vous ne vous sentez pas prête à affronter le pèse-personne, faites comme Pauline. Elle a demandé qu'on lui bande les yeux pour la peser et qu'on ne lui donne que les résultats finals.

QU'EN EST-IL DONC DE VOTRE MASSE GRAISSEUSE?

ANALYSE CORPORELLE	RÉSULTATS DE BASE	NOUVEAUX RÉSULTATS	DIFFÉRENCE
Poids	_____	_____	_____
% gras	_____	_____	_____
Masse graisseuse en kilos	_____	_____	_____
Masse musculaire en kilos	_____	_____	_____
MENSURATIONS			
Poitrine (en cm)	_____	_____	_____
Taille (en cm)	_____	_____	_____
Hanches (en cm)	_____	_____	_____
Cuisses (en cm)	_____	_____	_____

Outre l'analyse de votre composition corporelle et vos mensurations, efforcez-vous de remarquer les autres changements qui affectent votre corps:

- Quelle différence y a-t-il entre vos mensurations d'avant et celles de maintenant?
- Où avez-vous perdu le plus de centimètres?
- Comment vos vêtements vous font-ils?
- Avez-vous changé la taille de vos vêtements?
- Aimez-vous votre reflet dans le miroir?
- Comment vous sentez-vous?

Si vous n'avez pas constaté de changements, posez-vous les questions suivantes:

- Vous êtes-vous bien préparée à la méthode **OFF**?
- Avez-vous vraiment suivi la méthode pendant trois mois entiers?

- Vous entraînez-vous vraiment trois fois par semaine?
- Vous entraînez-vous vraiment pendant 45 minutes consécutives à chaque séance?
- Vous entraînez-vous modérément?
- Obéissez-vous à votre corps quand il vous dit qu'il a faim?
- Mangez-vous à l'excès?
- Mangez-vous plus tard le soir?
- Mangez-vous pour des raisons émotionnelles ou sociales?
- Sautez-vous des repas?
- Consommez-vous des aliments riches en gras?

À moins que vous n'ayez voulu perdre qu'un ou deux kilos de graisse, ce n'est pas fini. Trois mois suffisent à peine pour noter une amélioration et pour vous motiver à persévérer. Pour toucher au but final, poursuivez votre lecture. Les deux derniers chapitres vous procureront l'information nécessaire pour continuer à berner vos cellules adipeuses… à tout jamais.

Chapitre 12

Changez votre comportement pour aérobiser vos cellules adipeuses

Jamais je ne l'aurais cru, mais j'aime faire de l'exercice. En fait, cela me plaît tellement que j'ai hâte de m'entraîner. Auparavant, je n'avais jamais pu tenir plus de trois jours, alors vous pensez bien, trois mois... Et maintenant, non seulement je m'entraîne, mais encore j'y prends goût. Si je rate une séance, je ne suis pas bien dans ma peau.

Lucie était, de toutes mes clientes, la plus réfractaire à l'exercice physique, de sorte que son changement d'attitude fut une amélioration phénoménale. La première fois qu'elle vint me voir, elle entra dans mon bureau en disant:

— Je n'ai jamais fait d'exercice de ma vie et je n'ai pas l'intention de commencer maintenant. Alors, ne perdez pas votre salive à essayer de me convaincre.

Le mot «exercice» n'a pas passé mes lèvres pendant tout un mois. Puis, à mesure que montait la frustration de Lucie parce qu'elle ne remarquait aucune amélioration de sa silhouette en dépit des changements dans ses habitudes alimentaires, j'entrepris ma petite campagne. C'est grâce à Lucie que j'ai mis au point mon programme d'exercices très graduel: 10 à 15 minutes la première semaine, puis deux fois la semaine, et ainsi de suite. Si cette méthode a fonctionné pour Lucie, elle peut fonctionner pour n'importe quelle femme.

J'espère que vous aussi vous avez développé une nouvelle attitude face au conditionnement physique, car cette attitude vous
aidera à berner vos cellules adipeuses à tout jamais.

Vous pensiez que nous en avions fini avec la question du
conditionnement physique. J'en ai parlé dans chacun des chapitres précédents, je l'ai inclus dans chaque segment de deux semaines de la méthode **OFF**, et maintenant je lui consacre un
chapitre entier. Qu'y a-t-il donc de plus à dire? Beaucoup. Comme
je vous l'ai dit précédemment, *c'est le changement le plus important
que les femmes peuvent apporter à leur mode de vie si elles veulent berner
à tout jamais leurs cellules adipeuses.* Il est très important que vous
compreniez que le conditionnement physique transforme votre
physiologie féminine et maximise votre aptitude à brûler des calories.

Résumons ce que vous savez déjà concernant votre physiologie féminine. Parce que vous êtes une femme et que vous sécré-
tez des œstrogènes, vous êtes conçue pour emmagasiner des
graisses. Les cellules adipeuses entêtées de vos hanches, de vos
fesses et de vos cuisses se débattent sans répit pour survivre et
pour se défendre grâce à leurs enzymes lipogènes rétentrices des
graisses. Vous savez aussi que votre réflexe rétenteur fonctionne
le mieux quand vous vous mettez au régime. Que se passe-t-il
alors quand vous faites de l'exercice?

L'exercice, tout comme les régimes amaigrissants, menace vos
cellules adipeuses. Celles-ci ne veulent pas éliminer les graisses,
elles veulent les emmagasiner. Quand vous entreprenez un programme d'exercices, vos cellules adipeuses réagissent ainsi:

— Quoi? Brûler des graisses? Elle rêve. Ne se rend-elle donc
pas compte que nous sommes des kamikazes, que nous sommes
prêtes à tout pour conserver notre graisse?

Quand une femme entreprend un programme de conditionnement physique, sa physiologie se défend et ses cellules adipeuses se protègent.

Les femmes doivent aborder l'exercice différemment des hommes.
L'entraînement des femmes doit être conçu en tenant compte
de leur physiologie particulière et de leurs besoins spécifiques.
Le programme de trois mois de la méthode **OFF** vous a déjà
donné un aperçu des particularités du conditionnement physique féminin:

Vos séances d'entraînement durent
au moins 45 minutes.
Vous restez dans la zone lipofuge (intensité moyenne).
Vous vous entraînez au moins trois fois par semaine.

En vous entraînant modérément 45 minutes trois fois par semaine, vous conditionnez vos cellules adipeuses entêtées à brûler les graisses et vous diminuez leur volume. Ce genre de conditionnement physique est la seule chose qui puisse faire de votre corps rétenteur de graisses un corps apte à les brûler. Il n'existe pas d'autre façon de stimuler vos enzymes lipolytiques, responsables de l'élimination des graisses.

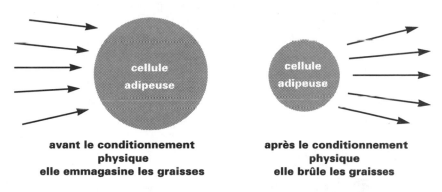

avant le conditionnement
physique
elle emmagasine les graisses

après le conditionnement
physique
elle brûle les graisses

Sans enzymes lipolytiques, vous ne brûlerez pas les graisses et vous ne réduirez pas le volume de vos cellules adipeuses. Ces enzymes ne s'achètent pas, ne s'obtiennent ni par le troc ni par la prière: l'exercice seul peut les produire. Il n'y a là rien de neuf; nous en avons souvent parlé dans ce livre. Passons à autre chose.

Quand votre physiologie des graisses se transforme et que vous éliminez les graisses de vos cellules adipeuses grâce aux enzymes lipolytiques, où vont ces graisses? Que se passe-t-il? Pour que vous puissiez brûler efficacement les graisses, votre physiologie musculaire doit être modifiée elle aussi. Le gras éliminé doit pouvoir pénétrer dans les cellules musculaires, car c'est là qu'il sera brûlé. Le rôle de la cellule adipeuse est d'emmagasiner le gras, le rôle de la cellule musculaire est de le brûler. La cellule musculaire contient des éléments extrêmement importants appelés mitochondries, qui brûlent le gras et produisent de la chaleur et de l'eau. Les mitochondries sont les centres énergétiques du corps. Imaginez que vous brûlez du charbon dans une chaudière ou des bûches dans un foyer: de la même façon, vous brûlez des graisses dans les mitochondries de vos muscles. Combien de gras brûlent vos cheveux? Votre peau? Vos amygdales? *Votre masse musculaire est la chaudière de votre corps.*

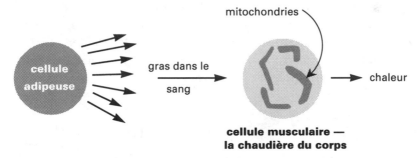

gras dans le sang

cellule musculaire —
la chaudière du corps

Sans les cellules musculaires, le gras qu'éliminent les cellules adipeuses lors de vos séances d'exercices ne saurait pas où aller, et il retournerait dans la cellule adipeuse.

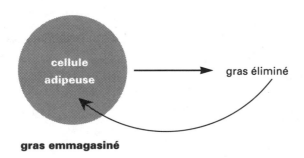

gras emmagasiné

Chez la femme, le programme d'exercices doit pouvoir modifier la physiologie de ses cellules graisseuses et la physiologie de ses cellules musculaires. Voilà pourquoi une augmentation de la masse musculaire contribue à berner vos cellules adipeuses. Plus vous avez de muscles, plus vous avez de mitochondries, plus vous brûlerez de graisses. Plus grande est la chaudière, plus elle produit de chaleur. L'exercice augmente la masse musculaire (vous le savez déjà), mais saviez-vous que l'exercice double l'efficacité des mitochondries de vos cellules musculaires? Voilà la vraie raison pour laquelle l'exercice stimule le métabolisme, brûle les graisses et vous aide à perdre du poids.

Ce n'est pas le nombre de calories que vous brûlez à l'entraînement qui compte, mais bien *ce que* vous brûlez et *comment* cela contribue à modifier votre physiologie. C'est pour cette raison que je n'indique pas le nombre de calories que vous brûlez en faisant tel ou tel type d'exercice. Ces données ne sont guère réjouissantes et pas très motivantes. La marche vous fait brûler environ 5 calories à la minute. Si vous marchez pendant 45 minutes, vous brûlez 225 calories; il n'y a pas de quoi pavoiser. Ce qui compte, ce sont les effets à long terme de l'exercice sur la physiologie des cellules adipeuses et sur la physiologie des cellules musculaires. Oubliez les calories que vous brûlez, transformez votre physiologie et entraînez votre corps à brûler les graisses.

Examinons en parallèle la physiologie des cellules adipeuses et musculaires chez les hommes et chez les femmes. En fait, ce sont les différences qu'il faut relever ici, car il y a très peu de points communs entre les deux. Lorsqu'un homme entreprend un programme d'exercices, sa physiologie travaille pour lui. Lorsqu'une femme entreprend un programme d'exercices, sa physiologie travaille contre elle.

Les hommes naissent munis du système nécessaire à l'élimination des graisses par l'exercice: ils possèdent une plus grande quantité d'enzymes lipolytiques, leur masse musculaire est plus volumineuse et contient un plus grand nombre de mitochondries. Les femmes, quant à elles, naissent équipées pour emmagasiner les graisses: elles possèdent une plus grande quantité d'enzymes lipogènes, leur masse musculaire est moins volumineuse et contient un plus petit nombre de mitochondries. Voilà pourquoi les hommes perdent du poids plus facilement que les femmes et le reprennent moins facilement. Voilà pourquoi les hommes qui entreprennent un programme d'exercices quel qu'il soit perdent du poids immédiatement. Ils ont déjà les enzymes lipolytiques dont ils ont besoin, ils n'ont pas à les produire. Leur masse musculaire est déjà volumineuse et contient déjà plus de mitochondries, ils n'ont pas à les produire. Leur métabolisme est plus rapide et leur capacité lipofuge est plus importante. Les femmes peuvent elles aussi posséder tout cela, mais elles doivent l'obtenir en transformant leur physiologie par le conditionnement physique.

Yolande, qui disait n'être rien du tout, finit par trouver qu'elle ressemblait dangereusement «à un entrepôt». Vous avez beau être née pour emmagasiner les graisses, rien ne vous empêche d'apprendre à votre corps à les brûler. Le conditionnement physique spécialement conçu pour les femmes offre tous les ingrédients nécessaires à cet apprentissage.

— Puisque les hommes et les femmes sont si différents, ne serait-il pas plus simple d'utiliser des stéroïdes anabolisants pour transformer la physiologie de mes cellules adipeuses et celle de mes cellules musculaires?

Naturellement. Les femmes qui font de la musculation et prennent des anabolisants voient leur masse musculaire augmenter et perdent beaucoup de graisse corporelle. Mais elles perdent aussi leur féminité et elles deviennent stériles, sans parler de tous les autres risques que présentent les stéroïdes pour la santé. La méthode la plus simple n'est pas toujours la meilleure.

Les enzymes lipolytiques, la masse musculaire et les mitochondries sont donc nécessaires aux femmes. Mais pour brûler les graisses, les femmes requièrent aussi deux autres éléments: de l'oxygène et du temps. C'est pourquoi j'ai tant insisté sur l'importance de maintenir un rythme respiratoire modéré sur une longue période.

Réunissons toutes ces données pour bien mettre en lumière la façon dont l'exercice provoque l'élimination des graisses chez la femme.

1. L'exercice modéré produisant un apport constant d'oxygène stimule les enzymes lipolytiques.
2. Les enzymes lipolytiques sont essentielles à l'élimination des graisses.
3. Quarante-cinq minutes d'exercice au moins sont requises pour que l'oxygène stimule les enzymes lipolytiques et que celles-ci éliminent une bonne quantité de graisse.
4. La masse musculaire doit être entraînée à brûler le gras qu'élimine la cellule adipeuse.
5. Pour que la masse musculaire puisse brûler les graisses, il lui faut à la fois des mitochondries et de l'oxygène.

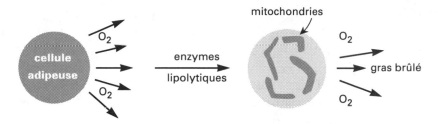

cellule musculaire

L'exercice vous fournit donc tous les ingrédients: les enzymes lipolytiques, l'oxygène, le muscle et les mitochondries. Cela ressemble à la confection d'un gâteau. Pour que la recette réussisse, il vous faut tous les ingrédients. Si vous en omettez un, c'est raté. De même, si vous omettez un des ingrédients de l'exercice, vous ne parviendrez pas à brûler des calories. Si l'oxygène fait défaut parce que vous respirez trop fort, vous ne brûlerez pas de graisse. Si la durée de l'exercice est insuffisante (45 minutes sont nécessaires), vous ne brûlerez pas de graisse. Tous les ingrédients travaillent pour faire de votre corps rétenteur de graisses un corps apte à les brûler.

— D'accord, d'accord. Je saisis. L'exercice est le secret qui me fera berner mes cellules adipeuses pour toujours. J'avoue que j'espérais un secret un peu moins évident et un peu plus original. Tout le monde préconise l'exercice.

Oui, tout le monde préconise l'exercice, et chacun a sa théorie personnelle quant à la meilleure façon de procéder. Ma méthode est différente: je vous donne cinq directives précises destinées à vous faire brûler les graisses, et spécialement conçues pour la physiologie de la cellule adipeuse et de la cellule musculaire féminines.

Si vous avez suivi dans le passé un programme de conditionnement physique, vous avez obéi à des directives conçues pour les hommes et non pas pour les femmes. Devant les résultats minimes obtenus, vous avez sans doute renoncé à l'exercice. Le conditionnement physique a été conçu en fonction de la physiologie des hommes et de leur système cardiovasculaire. Chez les hommes, 15 à 20 minutes d'exercice suffisent pour que leurs cellules adipeuses éliminent des graisses. Les hommes peuvent aussi s'entraîner plus intensément, parce que leurs cellules adipeuses ne possèdent pas le même réflexe de survie et parce que l'oxygène circule mieux dans leur organisme. D'après mon expérience, les femmes doivent s'entraîner plus modérément et plus longtemps pour obtenir des résultats analogues.

Si vous vous entraînez, que cela vous soit profitable. Pour cela, obéissez aux cinq directives suivantes.

Directives pour parvenir à brûler des graisses grâce à l'exercice physique

(Les cinq adversaires invincibles de vos cellules adipeuses)

1. Choisissez un exercice aérobique, n'importe lequel. Souvenez-vous que l'exercice aérobique choisi importe peu, du moment que vous obéissez aux autres directives. Tous les exercices aérobiques se valent, car ils font intervenir les principaux muscles (fesses et cuisses) dans un mouvement rythmique ininterrompu. Marcher est aussi efficace que courir, qui est aussi efficace que faire de la bicyclette, qui est aussi efficace que ramer, et ainsi de suite.

2. Entraînez-vous avec modération; ne soyez jamais, au grand jamais, à bout de souffle. L'oxygène entre en ligne de compte de deux façons: il contribue à éliminer le gras de la cellule adipeuse et il brûle le gras dans la cellule musculaire. Votre rythme respiratoire et l'apport d'oxygène sont donc tous les deux très importants. Ne soyez jamais, au grand jamais, à bout de souffle. Pensez à chanter *Frère Jacques*. Si, contrairement à hier, vous manquez de souffle aujourd'hui en faisant le même exercice que la veille, cela signifie que vous travaillez trop fort. Ralentissez. Vous marchez sans doute à la même vitesse que d'habitude, mais vous subissez beaucoup de stress, vous combattez une infection ou que sais-je, de sorte que votre exercice habituel est ce jour-là trop violent pour vous. Ralentissez et stabilisez votre rythme respiratoire et cardiaque. Il est essentiel de respirer plus vite, mais si vous respirez trop bruyamment, c'est trop violent.

3. Entraînez-vous pendant au moins 45 minutes. Pour être certaine d'éliminer une bonne quantité de graisse, vous devez vous entraîner modérément pendant au moins 45 minutes. Il faut 20 à 30 minutes pour activer les enzymes lipolytiques de façon qu'elles éliminent des graisses. Une fois qu'elles ont été activées, vous entrez dans la zone lipofuge. Par conséquent, si vous vous entraînez pendant 45 minutes, vous éliminez des graisses pendant 15 minutes.

4. Entraînez-vous au moins trois fois par semaine. Pour être en mesure de noter une amélioration réelle de votre silhouette, vous devez vous entraîner modérément pendant 45 minutes trois fois par semaine. Une ou deux séances d'exercice hebdomadaires ne suffisent pas pour préparer le corps à éliminer des graisses. Naturellement, vous pouvez vous entraîner quatre et même cinq fois la semaine pour des résultats encore plus spectaculaires, mais il faut au moins trois séances d'exercices par semaine pour pouvoir constater un changement.

5. Stimulez votre masse musculaire et vos mitochondries. L'exercice aérobique suffit à stimuler votre masse musculaire et à augmenter la quantité de mitochondries qu'elle contient, mais pour transformer encore davantage la physiologie de vos cellules musculaires, envisagez un programme de musculation légère. Je ne vous dis pas de devenir une adepte de la musculation de compétition, mais si vous voulez donner plus d'importance à votre musculature, consultez un physiologiste qui concevra un programme d'exercices en fonction de vos besoins.

Voilà donc en quoi consistent les cinq directives fabuleuses qui ont permis à mes clientes d'atteindre les objectifs qu'elles s'étaient fixés. L'ennui est que la plupart des femmes et la plupart des professionnels de la santé ne savent pas que le conditionnement physique doit être conçu différemment pour les femmes. C'est donc *vous* qui devrez faire en sorte que votre programme d'exercices comprenne tous les ingrédients essentiels à votre réussite. Laurence participait à cinq classes d'exercices aérobiques par semaine, mais chaque séance d'une heure ne comptait en réalité que 25 minutes d'exercices aérobiques. Le reste du temps était consacré au réchauffement, au refroidissement, à l'étirement et au tonus. Vingt-cinq minutes ne suffisaient pas à activer ses enzymes lipolytiques pour qu'elles puissent éliminer des graisses. Vingt-cinq minutes suffisaient à son mari qui suivait le même cours qu'elle, mais parce qu'il possédait déjà les enzymes nécessaires et les autres ingrédients. Quand elle comprit que le conditionnement physique avait beaucoup d'effet sur sa physiologie et qu'elle porta la durée de ses exercices aérobiques à 45 minutes, elle parvint à brûler des graisses.

Pour qu'une femme perde sa masse graisseuse, il est *indispensable* qu'elle obéisse aux cinq directives dont nous avons parlé. Toutefois, vos cellules adipeuses sont entêtées et très futées. Il se peut qu'elles en viennent à comprendre que vous vous efforcez de les berner. Vous devrez sans cesse les garder sur le qui-vive.

— Je marche 45 minutes trois fois la semaine depuis un an et demi. Ma silhouette s'est beaucoup transformée jusqu'à il y a environ deux mois. Depuis, je n'ai pas perdu la plus petite molécule de graisse, mais je veux en perdre encore.

Si vous atteignez un plateau, comme c'est le cas de nombreuses femmes au bout d'un certain temps, il est temps de donner un coup de main à votre programme d'exercices pour intriguer vos cellules adipeuses. Si vous répétez la même activité pendant des mois, le même jour à la même heure et pour la même période de temps, vos cellules adipeuses en viendront à deviner ce qui se passe.

— Ah! ah! il doit être 17 h 30: voilà qu'elle s'est remise à pédaler. Je sais ce qui me reste à faire.

Pour garder vos cellules adipeuses sur le qui-vive de façon qu'elles continuent à éliminer des graisses — et pour que votre silhouette continue à se transformer — voici trois stratégies de renforcement:

1. *Prolongez votre séance d'exercices de quelques minutes.* Si vous faisiez de la bicyclette pendant 45 minutes, faites-en pendant 50 minutes.
2. *Ajoutez une séance à votre programme hebdomadaire.* Si vous faisiez de la bicyclette trois fois la semaine, faites-en quatre fois.
3. *Ajoutez une activité à votre programme d'exercices.* Si vous marchiez quatre fois par semaine, marchez deux fois et faites deux fois de la bicyclette.

Chaque minute supplémentaire est une minute où vous brûlez des graisses. Chaque jour supplémentaire est un jour au cours duquel vous brûlez des graisses. Chaque activité supplémentaire est une activité qui vous aide à brûler des graisses. Je m'explique. Chaque type d'exercice utilise un ensemble de fibres musculaires différentes et stimule différentes cellules musculaires, activant ainsi les mitochondries pour brûler les graisses. Quand vous refaites sans cesse le même exercice, cela vous devient plus facile et vos cellules musculaires n'ont plus autant d'effort à faire pour trouver de l'énergie en brûlant des graisses. Si cela devient facile, vos cellules musculaires ne sont pas assez stimulées pour brûler des graisses. Si vous ajoutez un exercice nouveau à l'exercice précédent, votre corps dit aussitôt:

— Tiens, tiens, je n'ai pas l'habitude de pédaler. Je suis habitué à marcher.

Voilà pourquoi l'entraînement mixte est devenu populaire. Au lieu de vous concentrer sur un seul exercice, faites-en deux ou trois. Vous pouvez les faire en alternance d'une séance à l'autre, ou varier les exercices le même jour. C'est ce que fit Caroline. Elle s'entraînait depuis un certain temps mais ne notait aucun changement dans sa silhouette. Le jour où je lui ai suggéré de faire trois types d'exercices au cours d'une même séance de 45 minutes, elle accepta ma suggestion. Ce soir-là, elle fit 15 minutes de tapis roulant, 15 minutes de bicyclette et 15 minutes d'escalier. Un mois plus tard, elle avait perdu 1 p. 100 de masse graisseuse. Son corps ne s'habituait jamais à un mouvement répétitif unique.

Si votre programme d'exercices a besoin d'un renforcement, prolongez votre séance, faites-en une de plus par semaine ou ajoutez une activité à votre programme. Je ne vous dis pas de recourir à ces trois stratégies, mais de choisir celle qui vous convient le plus. Si vous ne pouvez pas prolonger chaque séance, entraînez-vous un jour de plus. Si vous ne pouvez pas vous entraîner un jour de plus, prolongez chaque séance de cinq minutes. Si ces deux solutions ne vous conviennent pas, ajoutez un nouvel exercice à votre programme.

Tous ces conseils ont pour objectif de modifier la physiologie de vos cellules adipeuses et de vos cellules musculaires. Cela ne signifie pas que vous devez renoncer au tennis, au ski, au golf ou aux promenades. Bien au contraire, que votre nouvelle attitude vous incite à participer à toute une variété d'activités physiques. Si ces sports ne sont pas les plus susceptibles de vous aider à brûler les graisses, ils contribueront néanmoins à stimuler votre musculature. Je vous conseille aussi de bouger davantage quand vous accomplissez vos tâches quotidiennes. Vous savez comment; inutile de vous rappeler de prendre l'escalier au lieu de l'ascenseur. À l'ère de la technologie, il est devenu très facile de ne pas bouger. Tout est télécommandé. Nous avons des téléphones portatifs. Nous possédons des cafetières à minuterie qui nous permettent de dormir quelques minutes de plus. Nous ne sortons même plus pour faire nos emplettes, nous commandons par catalogue. Tout a été conçu pour nous faire gagner du temps et nous faciliter la vie, mais la vie de nos cellules adipeuses en est elle aussi facilitée.

Les cinq directives énumérées plus haut dont l'objectif est de berner vos cellules adipeuses concernaient l'exercice aérobique. Il y a cependant deux autres points à ne pas négliger pour une bonne forme physique: la souplesse et la force. La souplesse est notre aptitude à étirer nos muscles. Certaines personnes sont naturellement plus souples que d'autres (comme celle qui peut glisser sa jambe derrière sa tête), mais il est possible d'améliorer sa souplesse à tout âge. Si vous le faites, vous aurez moins de maux de dos, vous serez moins susceptible de vous blesser et vous serez plus mobile. L'étirement vous permettra de prévenir les blessures associées à l'exercice aérobique et de persévérer. Consultez un spécialiste qui vous apprendra les techniques d'étirement, participez à une classe d'étirement ou faites du yoga.

Les poids libres, l'équipement de musculation, les redressements, les *push-ups* et les exercices de tonification musculaire peuvent tous augmenter la force et le tonus de vos muscles. Ces exercices devraient faire partie de votre programme, mais écoutez d'abord l'histoire d'Ingrid. Ingrid passait quatre fois par semaine une heure au gymnase: elle faisait 15 minutes de bicyclette et 45 minutes de musculation. Quand elle me consulta, elle était sur le point d'annuler son abonnement au centre de conditionnement physique parce qu'en huit mois, elle était passée d'une taille 12 à une taille. 14. Puisqu'elle avait beaucoup développé sa masse musculaire, son corps avait augmenté de volume.

C'est merveilleux si votre objectif est de vous «muscler», mais ce n'était pas le but d'Ingrid. Je lui suggérai de renverser sa séance d'entraînement: 45 minutes de bicyclette et 15 minutes de musculation. À quoi sert de développer des muscles sous une couche de graisse? Vous ne les verrez jamais si vous ne vous débarrassez pas d'abord de la graisse. Après avoir perdu de la graisse, Ingrid prolongea sa période de musculation pour tonifier sa masse musculaire.

Une seule chose m'inquiète dans votre changement d'attitude face au conditionnement physique: que vous en fassiez trop. Trop de n'importe quoi, y compris trop de conditionnement physique, est néfaste. Peut-être n'imaginez-vous pas possible de trop faire d'exercices, de développer ce genre de compulsion? C'est pourtant le cas de nombreuses femmes.

— Je faisais tout de manière compulsive: suivre un régime, manger, acheter... et maintenant, faire de l'exercice. Moi! Rendez-vous compte: la même personne qui détestait l'idée même du conditionnement physique il y a à peine un an!

Que vous ayez ou non une compulsion à faire de l'exercice, si vous en faites trop votre corps se sentira menacé et cessera de brûler ses graisses. Un excès d'exercice peut vous conduire à brûler des sucres au lieu des graisses. Il peut aussi vous occasionner des blessures aux articulations et aux muscles. Il peut en outre vous ouvrir l'appétit et vous fatiguer. Vous ne devriez jamais vous entraîner plus d'une heure, cinq fois la semaine, à moins que vous vous prépariez à courir le marathon.

Tant d'idées fausses à propos de l'exercice physique sont répandues par les médias et les gens en général que je me sens contrainte de réfuter ici quelques-unes d'entre elles. Voici les questions qu'on me pose le plus souvent:

Comment puis-je maigrir des cuisses sans maigrir d'ailleurs? Si ce ne sont pas les cuisses qui les intéressent, ce sont l'abdomen, les fesses ou les hanches. Il est impossible de maigrir localement. Mille redressements des jambes ne vous débarrasseront pas de la graisse accumulée sur vos cuisses. Mille redressements du torse ne vous feront pas maigrir du ventre. Ces exercices tonifient les muscles sous la graisse, mais ils ne suffisent pas à sculpter la silhouette. Quoi que tentent de vous faire croire les revues populaires, il est impossible de maigrir localement. La seule façon de vous débarrasser de votre graisse, où qu'elle soit, c'est l'exercice aérobique. Si vous allez marcher d'un bon pas, toutes vos cellules adipeuses expulseront des graisses. Parce que vous êtes une femme, les cellules adipeuses de vos hanches, de vos fesses et de vos cuisses se défendront d'abord, puis elles céderont peu à peu avec le temps. Toute activité physique entraîne à long terme une perte de poids générale (et donc locale).

Comment me débarrasser de ma cellulite? D'abord, la cellulite comme telle n'existe pas. La cellulite, c'est de la graisse. Le terme cellulite a été inventé par une personne extérieure à la profession médicale, pour décrire les amas granuleux et disgracieux de graisse qui se logent sous l'épiderme.

Avez-vous déjà entendu un homme se plaindre d'avoir de la cellulite? Sans doute pas, car les cellules adipeuses des hommes ont une structure différente de la nôtre. Nous ignorons pourquoi, quelque chose empêche les cellules graisseuses des hommes de s'affaisser et de creuser des fossettes. Ou bien, la peau de leurs cuisses est plus épaisse et ça ne se voit pas.

— Je n'y comprends rien. Les hommes ont plus de muscles, plus de mitochondries, leurs cellules adipeuses sont plus petites, ils ont moins de graisse et maintenant, vous me dites qu'ils ont moins de cellulite et même pas du tout?

Je sais. La vie est injuste.

On vante une infinité de remèdes contre la cellulite mais ne gaspillez pas votre argent. Le seul remède efficace, c'est l'exercice. Une crème capable de dissoudre la cellulite dissoudrait d'abord votre peau. Le remède le plus farfelu est sûrement le Pantalon Aspirateur! Il est censé aspirer la cellulite de vos cuisses à travers l'épiderme. Si cet aspirateur pouvait aspirer la cellulite, ne pensez-vous pas qu'il aspirerait aussi vos vaisseaux sanguins?

Quel est le meilleur moment de la journée pour faire de l'exercice? Le même jour, deux de mes clientes tirèrent du même journal deux conseils différents concernant «le meilleur moment de la journée» pour faire de l'exercice, dont chacun avait du sens.

— J'ai lu que c'est préférable de s'entraîner le matin, parce qu'ainsi, le métabolisme est stimulé pour le reste de la journée.

— J'ai lu qu'il convient de faire de l'exercice le soir, car l'exercice stimule le métabolisme au moment où il fonctionne au ralenti.

Il n'y a pas de meilleur moment pour faire de l'exercice en ce qui concerne le métabolisme et notre aptitude à brûler des graisses. Mais en ce qui vous concerne, le meilleur moment pour faire de l'exercice est celui qui vous convient le mieux.

Est-il préférable de faire de l'exercice avant ou après le repas? Peu importe, tout comme pour le moment de la journée. Certaines personnes prétendent qu'il est préférable de s'entraîner avant d'avoir mangé, car on est alors plus susceptible de brûler les calories que l'on consomme au repas. D'autres croient préférable de s'entraîner après un repas pour brûler immédiatement les calories contenues dans le repas au lieu de les emmagasiner. Les deux opinions se valent. Selon moi, cela n'a aucune importance. Mais je crois que faire de l'exercice après un repas n'est sans doute pas une très bonne idée parce qu'alors, vous avez besoin de vos réserves de sang pour digérer.

Est-ce vrai que la natation ne fait pas maigrir? On a pu lire des articles disant que la natation n'entraîne sans doute pas de perte de poids en raison de la tendance naturelle du corps à flotter, et que la masse graisseuse est ce qui nous permet de flotter. La graisse flotte et le muscle coule au fond. Certaines personnes croient aussi que la graisse contribue à conserver la chaleur du corps en eau froide. Rien de cela n'est faux intellectuellement, mais si vous avez à perdre de la graisse, vous la perdrez en nageant. Pour convaincre mes clientes les plus sceptiques, je leur montre des photos de nageurs olympiques. S'ils ont un tout petit peu plus de graisse que des coureurs de marathon ou des cyclistes, ils sont étonnamment minces et en forme.

Quels exercices doit-on faire? Il ne s'agit pas d'une idée fausse, mais simplement d'une question qui m'est souvent posée et qui vous tracasse sans doute aussi. Pour ma part, je suis abonnée à un centre de conditionnement physique parce que j'ai besoin de cet encadrement pour être motivée. J'ai besoin de mettre mes collants dans un sac de sport et de me rendre dans un endroit où l'effort physique est mis en valeur. J'ai aussi besoin de tromper l'ennui que me procure souvent l'exercice auquel je m'adonne (je ne suis pas différente de vous). Je lis (tout sauf une revue de diététique; de préférence un roman de science-fiction ou la revue *People*), ou bien je regarde la télévision en même temps que je m'entraîne.

Je fais chaque semaine trois séances de conditionnement de 50 minutes chacune, comprenant quelques minutes de *Lifecycle,* quelques minutes de *Stairmaster* et quelques minutes de poids et haltères. On me dit souvent:

— Seulement trois fois par semaine pendant 50 minutes?

Mon objectif est de maintenir mon poids actuel et non plus de perdre de la graisse. Je m'entraîne depuis 14 ans, je suis en forme et j'ai atteint mon objectif. Quand je sens que mon corps en a besoin, je m'entraîne un jour de plus ou je porte ma séance à 60 minutes environ.

Puis-je le dire encore? L'exercice est la seule façon sûre de transformer en permanence la physiologie de vos cellules adipeuses et de vos cellules musculaires. *L'exercice est le secret qui fera de votre corps rétenteur de graisses un corps apte à les brûler. L'exercice est votre stratégie la plus importante pour parvenir à berner vos cellules adipeuses.* Quatre-vingt-dix pour cent des personnes qui n'ont jamais eu de problème de poids font régulièrement de l'exercice, et 90 p. 100 de toutes celles qui ont perdu du poids et qui n'en ont pas repris font de l'exercice. Que dire d'autre?

Chapitre 13

Une façon de vivre remplie d'astuces pour rester toujours mince

Vous vous dites sans doute: «Je suis arrivée au terme du programme de trois mois de la méthode **OFF**. J'ai perdu de la graisse, minci de quelques centimètres et développé mes muscles. Est-ce tout?» Vous avez accompli d'immenses progrès, mais il vous reste encore beaucoup à gagner. Ce n'est pas fini. Vous n'avez pas suivi un régime de trois mois. Un régime a un début et une fin. La méthode **OFF** n'a pas de fin, car les changements naturels, réalistes qu'elle occasionne se perpétuent jusqu'à la fin de votre vie.

Réfléchissons aux trois mois qui viennent de s'écouler. Avant de lire cet ouvrage, vous suiviez des régimes amaigrissants, vous mangiez à l'excès, vous sautiez des repas, vous mangiez trop tard le soir, votre alimentation était trop riche en gras, et vous ne faisiez jamais d'exercice. Vos cellules adipeuses étaient activées et vos enzymes rétentrices de graisses faisaient du temps supplémentaire. Voici à quoi ressemblaient vos cellules graisseuses:

Vous aviez trop d'enzymes pour emmagasiner les graisses et pas assez d'enzymes pour les expulser. Il n'y a donc pas lieu de s'étonner que vous n'ayez pas pu perdre de poids. Votre physiologie vous en empêchait.

Après avoir lu ce livre et suivi la méthode **OFF** pendant trois mois, vous avez renoncé aux régimes et vous mangez maintenant avec modération des aliments faibles en gras, toute la journée, quand vous avez faim. Vous faites de l'exercice trois fois par semaine pendant 45 minutes. Vos cellules adipeuses ont été neutralisées grâce à de puissantes enzymes qui éliminent les graisses. Voici à quoi ressemblent maintenant vos cellules adipeuses:

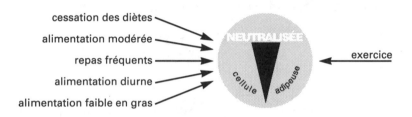

Vous avez maintenant moins d'enzymes pour emmagasiner les graisses et plus d'enzymes pour les brûler. Vous avez travaillé en harmonie avec votre physiologie féminine et suivi mes conseils en matière de nutrition et de conditionnement physique conçu pour les femmes, par conséquent vos cellules adipeuses ont été neutralisées et vous avez commencé à noter une amélioration de votre silhouette. *Mises en pratique toute votre vie, ces astuces contribueront à conserver votre équilibre enzymatique, à sculpter votre silhouette et à diminuer à tout jamais le volume de vos cellules adipeuses.*

Si trois mois ont suffi pour que vous atteigniez l'objectif que vous vous étiez fixé, vous aviez sans doute très peu de graisse à perdre ou bien votre corps a réagi très rapidement. Si, ce qui est plus probable, vous n'avez pas encore touché au but, vous aurez néanmoins modifié votre physiologie, noté une légère amélioration de votre masse graisseuse et de votre masse musculaire et remarqué un changement de poids. Dans ce chapitre, nous examinerons les différentes astuces qui, si vous les mettez en pratique encore trois mois, un an et le reste de votre vie, perpétueront ces changements. Bien entendu, vous n'aurez pas à attendre la fin de votre vie pour atteindre vos objectifs — à moins que ceux-ci ne soient pas réalistes et, dans ce cas, une vie ne vous suffirait pas.

J'aimerais que vous envisagiez vos progrès futurs par segments de trois mois. Les trois prochains mois:

- Sur quelles stratégies mettrez-vous l'accent?
- Comment intégrerez-vous vos séances d'exercice à votre horaire quotidien?
- Si vous partez en vacances, comment ferez-vous pour que la méthode **OFF** vous accompagne?

Au terme des trois prochains mois, faites effectuer une deuxième analyse de votre composition corporelle de façon à mesurer votre progrès. Ensuite, concentrez-vous sur le travail des trois mois suivants. Combien d'étapes de trois mois franchirez-vous? Cela dépend de vous, de la physiologie de vos cellules adipeuses, de votre fidélité à la méthode **OFF**, et de la quantité de graisse corporelle que vous devez perdre.

Vous connaîtrez sans doute des moments d'impatience et de frustration. C'est un processus lent, mais dont les résultats sont permanents. Si vous êtes tentée de vous mettre au régime, efforcez-vous de résister à cette tentation. Une amie vous dit qu'elle a perdu huit kilos en un mois? Au lieu de lui demander quel régime amaigrissant elle a suivi, demandez-lui: «Huit kilos de quoi?» Elle vous regardera sans trop comprendre; vous saurez qu'elle a perdu beaucoup de masse musculaire et d'eau. Ensuite, voyez combien elle pèsera dans quelques mois.

Soyez consciente des transformations qui affecteront vos habitudes et votre silhouette à mesure qu'elles se produiront. Nous sommes parfois si obsédées par le but que nous nous fixons que nous ne remarquons pas les progrès que nous faisons en cours de route. Accordez-vous le mérite de faire des progrès, soyez fière de vous-même, récompensez-vous. Certaines de mes clientes ont perfectionné un système de récompenses pour les aider dans leur motivation. Françoise s'offre un massage chaque fois qu'elle perd 1 p. 100 de masse graisseuse. Catherine s'achète une robe chaque fois qu'elle fait un mois d'exercice trois fois par semaine, sans flancher. Si les récompenses sont pour vous un moyen efficace, recourez-y. Pour d'autres, l'amélioration de leur bien-être et de leur silhouette est une récompense suffisante.

Quand vous aurez atteint votre objectif, il vous suffira de préserver ces changements et de conserver la santé et la forme de votre nouveau corps. Dans vos régimes passés, il était facile de perdre du poids et difficile de ne pas le reprendre. *Avec la méthode* **OFF,** l'entretien est la partie facile. Il vous a fallu du temps et de la persévérance pour perdre du poids et du gras corporel, mais il vous sera facile de maintenir votre poids et votre pourcentage de gras, car vous aurez su transformer la physiologie de votre masse musculaire et de votre masse graisseuse en changeant votre mode de vie. Après un régime, votre corps voulait reprendre le poids perdu. *Après la méthode* **OFF,** votre corps voudra rester mince.

Quand vous aurez atteint votre objectif, deux facteurs mériteront une attention spéciale:

1. La façon dont vous accepterez (ou rejetterez) votre nouveau corps.
2. La façon dont vous vous adapterez aux changements que la vie amène.

L'acceptation de votre nouveau corps

— Mon but était de réduire mon taux de gras corporel à 24 p. 100 et j'y suis parvenue, mais je ne suis pas sûre d'aimer ça. On me remarque et on m'admire. Ça me rend inconfortable. Tout le monde me dit que j'ai l'air splendide. Si je suis si splendide maintenant, de quoi avais-je donc l'air auparavant?

Vous attirerez sans doute davantage l'attention, on vous trouvera belle, vous serez plus en évidence. Cela peut mettre certaines femmes mal à l'aise; elles se sentent plus vulnérables ainsi et risquent de reprendre le poids perdu pour ne pas avoir à affronter cette nouvelle réalité. Si on vous remarque et vous complimente, soyez-en heureuse. Pourquoi ne pas simplement dire «merci»?

Certaines femmes ont du mal à composer avec les changements dans leur vie sociale qui accompagnent souvent un corps plus mince et plus en forme. D'autres n'accepteront pas leur nouvelle silhouette parce qu'elle n'est pas encore parfaite à leurs yeux.

— Je voulais baisser mon taux de gras corporel à 25 p. 100, j'y suis parvenue et je me sens toujours trop grosse.

Alors, elles vont jusqu'à 22 p. 100, puis 20 p. 100, puis 18 p. 100, et ainsi de suite. Aucun résultat ne paraît leur suffire. Pour certaines clientes, c'est devenu une obsession: elles ne pensent qu'à cela, cela occupe toute leur vie, et elles font analyser leur composition corporelle toutes les deux semaines. Pour être en santé, ramener votre taux de gras corporel à 25 p. 100 suffit. Descendre au-dessous de 18 p. 100 est dommageable pour la santé. Les femmes ont besoin de plus de gras corporel que les hommes, environ 18 p. 100 pour que le corps assume toutes ses fonctions féminines. Dans le cas des hommes, il n'y a pratiquement pas de limite. Un homme peut ramener son taux de gras corporel à 3 p. 100 sans compromettre sa santé. Mais si certains hommes visent un pourcentage encore plus bas, peu d'entre eux y parviennent, car un certain pourcentage de gras est essentiel à la santé. Une partie de ce gras essentiel est situé au cerveau. Le cerveau est en majorité composé de graisse. Quand Diane eut vent de cette information, un éclair de malice traversa son regard:

— Ah! ah! Voilà donc ce qui est arrivé à mon patron! À force de vouloir être mince, il est devenu sot!

J'ai eu beau m'efforcer de vous éloigner du pèse-personne, certaines femmes comparent encore leur poids au poids dit idéal des tableaux et des graphiques, et s'efforcent en vain de perdre encore cinq autres kilos. Vous voudrez peut-être perdre ces cinq kilos, mais votre corps sera parfaitement heureux et en santé comme il est.

Je connais des femmes qui ont mis leur vie en attente jusqu'à ce que le pèse-personne indique leur poids rêvé. Elles attendent que le pèse-personne leur dise: «Tu as le droit d'être heureuse maintenant, et de vivre ta vie.» Malheureusement, ces femmes risquent d'attendre jusqu'à la fin de leurs jours si leur objectif n'est pas réaliste. Carmen attendait depuis onze ans quand elle a enfin compris. Elle s'aperçut que son patron ne tenait pas compte de son poids quand il évaluait son rendement, que son ami n'avait pas exigé une garantie prénuptiale de poids idéal avant de l'épouser. Elle était la seule à mettre sa vie en attente.

Si vous réduisez votre taux de graisse corporelle à 20 p. 100, votre poids sera peut-être plus élevé que le poids idéal recommandé pour une personne de votre taille. De nombreuses personnes, minces mais bien musclées, ont un poids supérieur au poids prescrit. N'écoutez pas ceux qui vous comparent défavorablement aux tableaux officiels taille/poids. Tant que votre pourcentage de gras se maintiendra à 25 p. 100 ou moins (mais pas moins de 18 p. 100), vous aurez un poids santé bienfaisant et idéal.

Les phases de la vie

Que se passe-t-il quand certains événements de votre vie font que vous avez interrompu votre programme de conditionnement physique ou recommencé à manger à l'excès? Que se passe-t-il en cas de maladie, de blessure, de décès, ou que survient une tragédie qui vous vide de toute votre énergie physique et émotionnelle? Certaines circonstances prennent parfois la première place dans votre vie en vous forçant à oublier temporairement la méthode **OFF**. Quand vous serez prête, quand le moment en sera venu, recommencez. Retournez à la stratégie nº 1 et réintégrez-les toutes dans votre vie au cours des trois mois qui suivront. La réaction de votre corps sera plus prompte la deuxième fois.

Les régimes amaigrissants n'ont aucun effet car ils ne sont pas réalistes, sont provisoires et ne produisent pas de résultats à long terme. La méthode **OFF** est efficace parce qu'elle est réaliste et que ses résultats sont permanents. Mais notre vie change sans cesse.

Ces trois derniers mois, vous avez apporté à votre façon de vivre des transformations réalistes qui correspondent aux circonstances présentes de votre vie. Cependant, ce qui est réaliste aujourd'hui peut ne plus l'être demain. Si vous avez 20 ans et que vous êtes célibataire, vous rendre au gymnase cinq fois la semaine et prendre tôt un dîner léger peut ne pas présenter de difficulté. À 30 ou 40 ans, avec deux enfants et un mari qui travaille jusqu'à 20 h, le gymnase à 17 h et les dîners légers avant 18 h sont hors de question.

Quand votre vie change, vos habitudes alimentaires et de conditionnement physique doivent changer aussi. À la base, tout demeure identique: ne suivez pas de régime; écoutez votre corps; mangez modérément quand vous avez faim; compensez pour votre consommation de gras; faites de l'exercice. Mais la *façon* d'y parvenir différera.

Votre vie ne sera sans doute pas seule à subir des transformations; celles-ci peuvent aussi affecter votre physiologie. Une fluctuation du niveau d'œstrogènes aura une incidence sur la physiologie de vos cellules adipeuses; le vieillissement modifiera votre métabolisme. Nous allons regarder de plus près chacune des phases importantes de la vie d'une femme et voir comment la méthode **OFF** peut être efficacement mise en pratique à chacune d'entre elles.

La «pilule». Si, en âge d'avoir des enfants, vous prenez des anovulants, attendez-vous que ce supplément d'œstrogènes occasionne un léger excédent de graisse. Les œstrogènes peuvent stimuler un plus grand nombre d'enzymes rétentrices et vous rendre plus apte à emmagasiner des graisses même si vous faites de l'exercice et que vous avez de saines habitudes alimentaires.

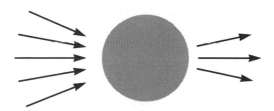

cellule adipeuse avec la «pilule»

Il vous faut rétablir l'équilibre de votre physiologie graisseuse en produisant une plus grande quantité d'enzymes lipolytiques. Vous ne savez que trop, maintenant, que la seule façon de produire ces enzymes est l'exercice physique. Prolongez votre période d'exercice de quelques minutes ou ajoutez une séance d'exercices à vos séances hebdomadaires pour stimuler votre potentiel lipofuge. La «pilule» vous fera toujours emmagasiner plus de graisses qu'auparavant, mais l'exercice supplémentaire vous aidera à les brûler et à ne pas grossir.

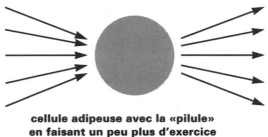

**cellule adipeuse avec la «pilule»
en faisant un peu plus d'exercice**

La grossesse. Nous avons parlé des effets de la grossesse sur la masse graisseuse féminine à différents moments tout au long de ce livre, mais si vous n'avez jamais été enceinte, vous avez sans doute lu ces passages distraitement. Si vous devenez enceinte un jour, relisez ces pages, car vous devrez vraisemblablement vous efforcer de nouveau de berner vos cellules adipeuses. Le niveau d'œstrogènes sécrété pendant les neuf mois de la grossesse stimule les enzymes lipogènes à un point tel qu'il devient difficile de les neutraliser. Un tel changement physiologique est essentiel pour vous et pour le développement de votre enfant. On ne peut l'empêcher et vous ne devez même pas essayer de l'empêcher. Vous et votre bébé avez besoin de ces enzymes supplémentaires et de cet excédent de gras.

Persévérez dans vos bonnes habitudes pendant votre grossesse et votre corps fera ce qu'il a à faire. Si vous écoutez votre corps quand il vous signale qu'il a faim, vous brûlerez les calories dont vous avez besoin. Il est aussi important que vous grossissiez un peu pendant la grossesse, mais certaines femmes prennent plus de poids que nécessaire. Nous avons toutes entendu (et parfois utilisé) l'excuse suivante: «Je mange pour deux», pour manger à l'excès sans en ressentir de culpabilité. Une de mes clientes enceintes est allée encore plus loin: «Je mange pour quatre au cas où j'aurais des triplets.» Elle n'a pas eu de triplets, mais elle a grossi trois fois plus que nécessaire.

J'aimerais que nous nous arrêtions un moment sur la période qui suit l'accouchement. La plupart des femmes se laissent dire que l'allaitement permet une perte de poids rapide et le retour à la silhouette qu'elles avaient avant leur grossesse. C'est vrai pour certaines femmes, mais les recherches récentes réfutent cette théorie. S'il y a de nombreuses justifications à l'allaitement maternel, la perte de poids n'en fait pas partie. Les femmes souhaitent perdre du poids rapidement, et si elles n'y parviennent pas ou y parviennent trop lentement, elles croient que quelque chose cloche. Vous n'êtes pas responsable de cela, vos hormones oui. Leur taux demeure très élevé pendant l'allaitement, et pendant ce temps, vos cellules adipeuses cherchent à emmagasiner des graisses au lieu de les éliminer. Souvenez-vous de ce que nous avons dit à propos du réflexe de survie du corps de la femme, quand le corps s'approvisionne en calories pour être en mesure d'allaiter en cas de disette.

Berner vos cellules à la suite d'un accouchement exige de la patience. Les enzymes rétentrices doivent être neutralisées, et vous devez vous débarrasser de quelque cinq kilos de graisse excédentaire auxquels le corps s'accroche. Mettez en pratique toutes les stratégies de la méthode **OFF**, armez-vous de patience et intensifiez votre programme de conditionnement physique.

— C'est à peine si j'ai le temps de prendre une douche maintenant que le bébé est né, alors l'exercice physique…

Si vous voulez retrouver votre silhouette, vous devrez trouver un moyen, n'importe lequel, pour intégrer l'exercice physique dans votre nouvelle vie. Si vous ne pouvez pas prendre une gardienne ou demander à votre conjoint de rentrer un peu plus tôt pour vous permettre de suivre un cours de danse aérobique, servez-vous de votre imagination. Je ne veux pas dire, imaginez-vous que vous escaladez une haute montagne, je dis allez marcher avec votre bébé dans sa poussette ou dans le porte-bébé. Amenez le bébé avec vous à bicyclette. Faites de la bicyclette stationnaire quand bébé fait sa sieste.

Je ne puis vous promettre que vous retrouverez votre forme initiale avec la méthode **OFF** après votre accouchement. Pour certaines femmes, l'accouchement a des conséquences permanentes: la peau du ventre est flasque; les os du bassin peuvent avoir été déplacés lors de l'accouchement; si vous avez accouché par césarienne, vos muscles abdominaux ne retrouveront peut-être jamais complètement leur tonus et leur élasticité. Si le regain n'est pas complet, vous noterez néanmoins une certaine amélioration.

Vous connaissez sans doute une femme qui a quitté l'hôpital comme si jamais elle avait eu un ballon de plage à la place du ventre: «J'ai porté un jean de taille 8 pour rentrer à la maison», dit-elle avec vantardise. Ne vous comparez pas à elle. Elle est l'exception qui confirme la règle. Une rareté.

La double carrière. Vous avez eu un enfant (ou deux ou trois) et vous travaillez à temps plein. Une mère de famille sans profession consacre toute son énergie mentale et physique aux tâches maternelles. Si, en outre, elle est femme de carrière, son temps est destiné à sa famille ou à ses responsabilités professionnelles. Quand peut-elle trouver un moment pour elle-même?

Ce qui suit est très facile à dire et très difficile à croire, à moins d'en avoir fait soi-même l'expérience: si vous savez vous occuper de vous-même, vous pouvez mieux prendre soin de vos proches et de ce qui est important pour vous. Vous avez plus d'énergie et vous êtes plus productive. Je me répète: c'est facile à dire. Mais c'est aussi vrai.

Certaines femmes ont la chance d'avoir une gardienne à la maison. D'autres reçoivent l'aide d'une parente ou d'une voisine. D'autres ont un conjoint ou un mari qui partage les tâches et les responsabilités familiales. D'autres enfin ne jouissent d'aucun moyen qui puisse leur rendre la vie plus facile. Cécile était mère célibataire de trois enfants âgés respectivement de quatre ans, deux ans et six mois. Elle travaillait à temps plein pour un salaire qui suffisait à peine à faire vivre ses enfants. Elle vivait à la campagne et sa famille habitait loin d'elle. Elle n'avait pas les moyens de fréquenter un gymnase ou d'avoir une gardienne. Je lui aurais normalement conseillé de faire de l'exercice à l'heure du déjeuner, mais elle ne disposait que de trente minutes. La solution pour elle fut de suivre un cours de danse aérobique par vidéo, vers 20 h, après le coucher des enfants. Faites ce qui est possible pour vous.

- Abonnez-vous à un gymnase qui offre un service de garderie.
- Faites des promenades avec vos enfants.
- Joignez un club de cogardiennage de votre quartier, où les mères échangent entre elles des services de garderie.

La ménopause. Les femmes composent le segment le plus important de la population, et la moyenne de la population vieillit. Dans dix ans, il y aura un plus grand nombre de femmes en postménopause qu'en préménopause; pourtant, les recherches concernant cette période cruciale de la vie d'une femme sont encore embryonnaires. Il est dommage et assez incompréhensible qu'existent de telles lacunes et un tel manque d'intérêt, mais permettez-moi de vous faire part de ce que nous savons des effets de la ménopause sur la cellule adipeuse féminine.

Avec la ménopause, le niveau d'œstrogènes baisse sensiblement. Cela peut sembler positif, puisque nous avons souvent blâmé les œstrogènes pour l'entêtement de nos cellules adipeuses. On pourrait penser que les femmes sont susceptibles de perdre du poids à la ménopause, car elles ont moins d'œstrogènes pour activer leurs enzymes lipogènes. Pourtant, la plupart des femmes prennent un peu de poids, certaines d'entre elles en prennent beaucoup sans qu'il y ait eu un quelconque changement dans leurs habitudes. En ce qui concerne les changements physiologiques de la ménopause, il y a anguille sous roche.

En premier lieu, la baisse du niveau d'œstrogènes signifie un accroissement de l'influence de l'hormone mâle, la testostérone. Cela ne veut pas dire que vous produisez davantage de testostérone et que vous vous masculinisez. Cela veut dire que la testostérone, toujours présente dans votre corps, commencera à agir, affectant la répartition de votre masse graisseuse pour la faire ressembler davantage à la silhouette «pomme» propre aux hommes. Les femmes constatent tout à coup que leurs vêtements sont plus serrés à la taille. Ou, comme le dit une de mes clientes:

— Mes cellules adipeuses ont émigré au nord depuis ma ménopause.

Ensuite, votre métabolisme ralentit d'environ 5 à 15 p. 100. Cela signifie que même si vous ne modifiez pas votre alimentation ou votre programme d'exercices, vous grossirez, car votre corps requiert moins de calories. Enfin, puisque votre taux d'œstrogènes est plus bas qu'auparavant, l'excès de poids se logera dans la partie supérieure du corps.

Qu'advient-il si l'on vous prescrit une hormonothérapie substitutive? Les changements décrits plus haut se produiront quand même. Votre métabolisme ralentira et vous grossirez au niveau de la taille, mais les suppléments d'œstrogènes que vous prenez pourraient bien activer de nouveau les cellules adipeuses des fesses, des hanches et des cuisses.

— Bon. Maintenant, j'ai des cellules adipeuses actives et têtues partout, alors qu'auparavant elles limitaient leur territoire au bas du corps.

La plupart des femmes ne savent trop quoi penser de l'hormonothérapie substitutive. Devraient-elles ou ne devraient-elles pas prendre des hormones? La plupart des professionnels de la santé sont aussi confus qu'elles face à cette question. Quant à moi, je ne me risquerais jamais à donner des conseils, car le domaine échappe à mon savoir-faire. Mais si *vous* et votre médecin (vous prenez part à une telle décision), après avoir pesé le pour et le contre, optez pour l'hormonothérapie de substitution, j'aimerais que vous soyez consciente des effets des œstrogènes sur vos cellules adipeuses. Une femme qui traverse sa ménopause, qu'elle prenne ou non des hormones, doit en général renouveler ses efforts pour parvenir à berner ses cellules adipeuses.

— C'est injuste. Je les ai déjà bernées une fois avant ma ménopause. Pourquoi me faut-il recommencer? Je croyais que vieillir devait nous faciliter la vie.

Malheureusement, nous recevons toujours des coups durs et la vie devient rarement plus simple avec le temps. Mais ce n'est pas aussi difficile que vous pourriez le croire de berner cette cellule adipeuse de la ménopause. Il suffit de pratiquer la méthode **OFF** en insistant sur d'autres aspects de ses stratégies.

Ne vous mettez pas au régime. Les femmes sont souvent tentées de faire un régime pour perdre le poids qu'elles ont pris rapidement pendant la ménopause. Vous ne mangiez pas à l'excès, vous faisiez de l'exercice, mais vous avez grossi de quatre kilos du jour au lendemain. Le régime ralentira encore davantage votre métabolisme, un point c'est tout.

Écoutez votre corps. Quand le métabolisme ralentit, le corps requiert moins de calories pour fonctionner. Si vous écoutez réellement votre corps, vous constaterez que votre appétit s'ajuste de lui-même aux nouveaux besoins caloriques de votre organisme. Vous aurez faim moins souvent et vous serez plus vite rassasiée.

Mangez moins pendant la soirée. Le ralentissement de votre métabolisme sera encore plus marqué le soir. Faites en sorte que votre dîner soit le plus léger possible.

Éliminez le gras de votre alimentation. La baisse du niveau d'œstrogènes augmente les risques de maladies cardio-vasculaires. Les œstrogènes semblent favoriser la coagulation sanguine. Il se peut que vous deviez diminuer encore davantage votre consommation de matières grasses pour prévenir les risques d'accidents cadiovasculaires et pour diminuer le plus possible l'emmagasinage des graisses dans les cellules adipeuses.

Faites de l'exercice pour stimuler votre métabolisme. Je ne vous conseille pas de modifier entièrement votre programme de conditionnement physique, mais de lui ajouter les éléments suivants:

1. Prolongez chaque période d'exercices de cinq à dix minutes. Comme il est impossible de prévenir tout à fait l'emmagasinage de graisses supplémentaires, compensez en les brûlant pendant quelques minutes de plus.
2. Faites de la musculation légère. Le vieillissement entraîne une diminution de la masse musculaire chez la femme, et le métabolisme ralentit à la ménopause. Un léger entraînement de musculation au moyen de poids libres ou d'équipement de renforcement musculaire vous aidera à développer et à tonifier votre musculature, et, par conséquent, à stimuler votre métabolisme.
3. Faites en outre trois exercices survolteurs par jour pour réveiller votre métabolisme. Les survolteurs de métabolisme sont des mouvements rapides qui accélèrent votre rythme cardiaque et stimulent votre masse musculaire. Par exemple, sauter, monter des escaliers, sauter à la corde ou courir sur place trois fois par jour pendant cinq minutes rappelle à votre corps que vous êtes toujours en vie et revigore le métabolisme. C'est trop peu pour avoir une quelconque influence sur votre physiologie graisseuse, mais là n'est pas le but de l'opération.

À propos de ménopause, j'aimerais en profiter pour mentionner ici une des plus grandes inquiétudes des femmes ménopausées, l'ostéoporose. Je ne comprendrai jamais pourquoi tant de femmes attendent à la ménopause pour se préoccuper des effets de l'ostéoporose, car la santé des os est déterminée longtemps avant l'apparition de la ménopause. Je ne dis pas qu'il n'y a rien que vous puissiez faire à 50 ou 70 ans, mais si vous n'êtes pas encore ménopausée, n'attendez pas l'apparition des premiers symptômes pour surveiller votre santé osseuse et votre ingestion de calcium. Après la ménopause, la raréfaction osseuse peut être stabilisée et parfois renversée à n'importe quel âge.

Que pouvez-vous faire pour renforcer votre tissu osseux? La réponse à 99 p. 100 de toutes les questions relatives à la santé du corps est simple: FAITES DE L'EXERCICE! Le mot «exercice» vous répugne peut-être. Qu'est-ce que l'exercice ne fait pas? Eh bien! l'exercice n'empêche pas le pied d'athlète, par exemple. Mais c'est à peu près tout.

Vous avez sans doute entendu dire que les exercices qui obligent le système osseux à supporter le poids du corps favorisent la prévention et le traitement de l'ostéoporose. La marche est l'un d'eux, car lors de la marche, les os doivent supporter notre poids sur une longue distance. Avec la bicyclette stationnaire, la selle supporte la plus grande partie de notre poids. Avec la natation, l'eau supporte la plus grande partie de notre poids. Il faut que le squelette supporte notre poids pour que cet exercice soit bénéfique.

— Si le fait de supporter le poids du corps peut renforcer l'ossature, plus lourde est la masse qu'ils ont à supporter, plus forts ils seront, non? L'obésité peut-elle, par conséquent, être un facteur préventif d'ostéoporose?

J'ai bien été forcée de répondre à la question de Mireille par l'affirmative. Elle cherchait la seule (et unique) raison qui puisse justifier son obésité tenace. Si vous souffrez d'obésité, vous obligez vos os à transporter chaque jour votre excès de poids. Mais si vos os le transportent, cela signifie que vous bougez. Or, la plupart des femmes obèses le sont par excès d'inactivité. Si, en revanche, vous bougez, l'excès de poids peut surmener le cœur, les articulations et la colonne vertébrale.

La retraite.
—J'avais hâte de prendre ma retraite pour avoir plus de loisirs, pour voyager plus souvent, pour avoir plus de temps à moi, mais j'ignorais que grossir ferait partie de l'ensemble.

La retraite est une étape très importante de la vie. Vous êtes davantage à la maison, vous côtoyez la nourriture plus souvent, vous voyagez davantage et vous avez plus d'occasions de manger. Vous disposez de plus de temps pour prendre vos repas, mais vous disposez aussi de plus de temps pour faire de l'exercice. Profitez-en pour faire une séance d'exercices supplémentaire chaque semaine, inscrivez-vous à une classe d'exercices aérobiques, marchez plus longtemps le matin.

Victorine a profité de sa retraite pour harmoniser ses habitudes alimentaires à son métabolisme. Quand elle travaillait, elle avait à peine le temps de manger à midi et s'offrait, le soir, un dîner copieux. Depuis qu'elle est à la retraite, elle peut renverser la vapeur: elle a fait du repas de midi le plus important de la journée.

Notre vie change sans cesse, peu importe notre âge. Certains événements tels que la grossesse ou la ménopause modifient notre physiologie, d'autres transforment notre façon de vivre, comme le mariage, la venue des enfants ou la retraite. Ce chapitre vous donne toute l'information requise pour adapter la méthode **OFF** aux transformations qui affectent votre physiologie, votre mode de vie et vos besoins en mutation.

Un peu de sérieux

Nous voici arrivées à la fin du livre; il est temps de passer aux choses sérieuses. Non que je n'ai pas été sérieuse tout au long de cet ouvrage, au contraire. Je me suis montrée franche et honnête, mais avec aisance et légèreté. Je ne suis pas favorable à la thérapie d'aversion ou à l'apprentissage par la peur, mais je crois qu'il est temps de recouvrir mes propos de quelques nuages noirs. L'obésité est synonyme d'invalidité et de mort précoce. Qu'il s'agisse de l'une ou l'autre des affections associées à l'excès de poids — maladies cardiovasculaires, cancers, thromboses, diabète, problèmes de la vésicule biliaire ou des articulations —, elle vous volera des années de votre vie.

Les deux principales causes de décès chez les femmes sont les maladies du cœur et le cancer du sein. Le taux de mortalité due à ces maladies augmente sans cesse. Un régime de vie sain réduira les risques de maladie dans ces deux cas. Si vous êtes obèse et inactive, vous risquez deux fois plus l'infarctus. En bernant vos cellules adipeuses, vous diminuez ce risque de moitié.

Je veux bien admettre que rien n'assure qu'une perte de poids saura prévenir une mort prématurée, mais vous mettez les chances de votre côté en maigrissant. Une de mes clientes m'a offert un tee-shirt qui disait: «Perdez du poids, mangez mieux, faites de l'exercice — vous mourrez de toute façon». J'ai bien rigolé. C'est vrai, nous mourrons tous de toute façon. Mais ne préférez-vous pas que ce soit le plus tard possible? N'aimeriez-vous pas demeurer active et en santé jusqu'à votre dernier souffle plutôt que d'être malade et alitée?

Vous avez peut-être commencé la lecture de ce livre en songeant à votre silhouette. Je voudrais que vous le refermiez en songeant que la méthode **OFF** vous a permis de diminuer les risques de nombreuses maladies et amélioré votre état de santé.

Il y a de la sagesse dans le fait d'accepter notre nouvelle silhouette; d'adapter la méthode **OFF** aux transformations qui affectent notre vie et notre physiologie; de connaître notre vulnérabilité aux maladies; et dans le fait d'intégrer la méthode **OFF** à notre existence. Il se peut que vous traversiez des moments de doute et de recul. Si cela se produit, lisez les 25 énoncés suivants qui constituent l'axe même de la méthode **OFF**. Vous les avez lus plusieurs fois tout au long de ce livre. Les relire ranimera votre volonté et vous remettra sur le droit chemin. Si vous avez besoin d'un soutien plus personnel, consultez une diététiste experte en nutrition et en contrôle du poids.

1. Oubliez le pèse-personne et faites analyser votre composition corporelle.
2. Oubliez la silhouette idéale et trouvez votre poids santé.
3. Pensez à la masse graisseuse et non pas à la perte de poids.
4. On n'affame pas une cellule adipeuse.
5. Pour perdre du poids, il faut manger.
6. Travaillez en harmonie avec votre physiologie féminine et non pas contre elle.
7. Mangez ce que vous voulez quand vous avez faim.
8. Ne vous permettez pas d'avoir trop faim.
9. Ce n'est pas ce que vous mangez qui compte, mais votre façon de manger.

10. Sachez reconnaître les sensations de votre corps à l'aide de l'échelle appétit/satiété.
11. Tout aliment fait grossir si on en mange à l'excès.
12. Faites de mini-repas et de maxi-collations répartis tout au long de la journée.
13. Harmonisez vos habitudes alimentaires avec votre métabolisme.
14. Le soir, mangez le plus légèrement et le plus tôt possible.
15. Il n'y a pas de bon gras pour vos cellules adipeuses.
16. Équilibrez votre consommation de matières grasses.
17. Méfiez-vous de la publicité alimentaire.
18. L'exercice est la stratégie la plus importante.
19. Faites de votre corps rétenteur de graisses un corps apte à les brûler.
20. Ne soyez jamais, au grand jamais, à bout de souffle.
21. Chaque minute d'exercice supplémentaire vous aide à brûler des graisses.
22. Modifiez votre vie de façon réaliste, selon vos besoins.
23. Adaptez la méthode **OFF** à vos besoins.
24. Adaptez la méthode **OFF** aux phases de votre vie.
25. Tenez des registres alimentaires pour mesurer votre progrès.

Vous savez tout, maintenant, de ce que l'on connaît de la physiologie graisseuse féminine. Il se peut que cela ne corresponde pas à vos attentes, mais c'est la vérité. La physiologie d'une femme résiste à ses efforts, et il n'y a aucune solution magique pour perdre du poids. *La méthode OFF tient compte des réalités du corps féminin et modifie le fonctionnement de ses cellules adipeuses.*

Si vous avez lu ce livre en entier avant d'entreprendre la méthode **OFF**, reportez-vous au chapitre 6 et promettez-vous de mettre en pratique les stratégies des semaines 1 et 2. Si vous avez suivi la méthode **OFF** depuis trois mois, j'espère vous avoir convaincue que ces stratégies alimentaires et ces exercices sont *absolument nécessaires* pour que la femme parvienne à berner ses cellules adipeuses. *Sans eux, ce sont vos cellules qui vous berneront.*

Maintenant que vous avez lu ce livre...

Voici un message personnel de l'auteur.
N'est-il pas temps pour nous d'envisager la perte de poids en fonction de la physiologie féminine? N'est-il pas temps que nous concevions pour les femmes des guides alimentaires et de conditionnement physique qui tiennent compte de leur physiologie graisseuse? Je me suis efforcée dans ce livre de réunir les pièces du casse-tête que représente pour les femmes une perte de poids permanente. Je me suis efforcée de dissiper certaines idées fausses concernant les régimes amaigrissants et le supposé corps idéal. J'ai tenté de vous prodiguer l'attention que vous méritez pour atteindre vos objectifs.

Ce livre ne préconise aucun régime, il ne suggère aucun truc, l'information que vous y trouvez est exacte. Aucun conseil donné ici n'est néfaste. Il est question dans cet ouvrage d'une façon de vivre saine, adaptée à votre physiologie graisseuse féminine. Mes conclusions s'appuient sur des recherches sérieuses, sur mon expérience professionnelle auprès de milliers de femmes et sur mon expérience personnelle.

J'ai moi aussi subi les pressions de la société, de son obsession de la minceur et de sa mentalité diététique, et j'ai combattu mes cellules adipeuses entêtées. J'ai jeûné et je me suis privée pendant des années en espérant trouver le bonheur dans un corps mince, pour découvrir que minceur et bonheur ne sont pas forcément synonymes. Même lorsque je pesais 46 kilos (en mesurant 1,67 m), je me trouvais «grosse». Malheureuse à ce poids, je me suis jetée sur la nourriture pour compenser et j'ai rendu folle l'aiguille du pèse-personne. Il n'y a pas de doute que mes problèmes personnels m'ont beaucoup influencée dans le choix d'une carrière en diététique.

En tant que femme, j'ai fini par admettre que l'alimentation parfaite et le corps parfait n'existent pas. En tant que diététiste, j'ai dû assumer mes obsessions alimentaires et physiques, et j'ai développé une relation saine à la nourriture. J'ai appris qu'il est parfaitement correct d'être diététiste et d'aimer la pizza et les croustilles. Qu'il n'y a rien de mal à en manger quand j'en ai envie. Qu'il n'y a rien de mal à sauter une séance d'exercices de temps à autre. Qu'il n'y a pas de mal à grossir un peu avant mes menstruations. Parce que mon corps est heureux et en santé depuis huit ans.

Je crois fermement à tout ce que je vous ai dit dans cet ouvrage. Je regrette seulement de ne pouvoir être en mesure d'aider personnellement chacune d'entre vous. Pour compenser, je me suis efforcée à la fois de vous entraîner, de vous encourager, de vous instruire par des histoires de cas, par des réflexions sur la psychologie et par ma perception personnelle de la question. J'espère y être parvenue.

Si j'ai eu une quelconque influence sur votre façon de vivre, j'aurai atteint mon objectif. Puissiez-vous atteindre le vôtre en lisant ce livre, car c'est pour vous et dans ce but qu'il a été écrit.

Avec tous mes vœux de succès et de bonheur.

Bibliographie

SUGGESTIONS DE LECTURE

American Heart Association Cookbook. 5ᵉ éd., New York: Times Books, 1991.

Bailey, C. *Fit or Fat Target Diet.* Boston: Houghton Mifflin, 1984.

_____. *Fit or Fat Target Recipes.* Boston: Houghton Mifflin, 1986.

_____. *Fit or Fat Woman.* Boston: Houghton Mifflin, 1989.

_____. *Fit or Fat.* Boston: Houghton Mifflin, 1991.

Brody, J. *Jane Brody's Good Food Book.* New York: W.W. Norton, 1985.

Cannon, J. *Dieting Makes You Fat.* New York: Pocket Books, 1987.

Chernin, K. *The Hungry Self.* New York: Times Books, 1985.

Cooper, K. *Controlling Cholesterol.* New York: Bantam Books, 1988.

Goor, R. *Eater's Choice.* Boston: Houghton Mifflin, 1987.

Kano, S. *Making Peace With Food.* New York: Harper & Row, 1989.

Konner, L. *The Last 10 Pounds.* Stamford, Conn.: Longmeadow Press, 1991.

Hirschmann, J., et C. Hunter. *Overcoming Overeating.* New York: Fawcett Columbine, 1988.

Lambert-Lagacé, L. *Le défi alimentaire de la femme.* Montréal: Les Éditions de l'Homme, 1988.

Lindsay, A. *The American Cancer Society Cookbook.* New York: Hearts Books, 1988.

Long, P. *The Nutritional Age of Women.* New York: Bantam Books, 1986.

Love, S. *Dr. Susan Love's Breast Book.* Reading, Mass.: Addison-Wesley, 1990.

Marano, H. *Style Is Not a Size.* New York: Bantam Books, 1991.

Nash, J. *Maximize Your Body Potential.* Palo Alto: Bull Publishing, Co., 1986.

Orbach, S. *Fat Is a Feminist Issue.* New York: Berkley Books, 1978.

Parker, V. *A Lowfat Lifeline for the 90's.* Lake Oswego, Ore.: LFL Associates, 1990.

Pennington, J. *Food Values of Portions Commonly Used.* New York: Harper Perennial, 1989.

Piscatella, J. *Choices for a Healthy Heart.* New York: Workman, 1987.

Roth, G. *Feeding the Hungry Heart.* New York: Bobbs-Merrill, 1982.

_____. *Why Weight? A Guide to Compulsive Overeating.* New York: Plume Books, 1989.

_____. *Breaking Free from Compulsive Overeating.* New York: Bobbs-Merrill, 1990.

_____. *When Food Is Love.* New York: Dutton Books, 1991.

Satter, E. *How to Get Your Kids to Eat, But Not Too Much.* Palo Alto: Bull Publishing Co., 1988.

Schwartz, B. *Diets Still Don't Work.* New York: Breakthru Publishing, 1990.

Warshaw, H. *The Restaurant Companion.* Chicago: Surrey Books, 1990.

Weight Watchers. *La cuisine légère.* (Traduit de l'américain par Linda Nantel.) Montréal: Les Éditions de l'Homme, 1991.

SOURCES

Ailhaud, G. *et al.* 1991. «Growth and differentiation of regional adipose tissue: Molecular and hormonal mechanisms.» *International Journal of Obesity,* 2:87.

Alford, B. *et al.* 1991. «The effect of variation in carbohydrate, protein, and fat content of the diet upon weight loss, blood values, and nutrient intake of adult obese women.» *Journal of the American Dietetics Association,* 90:534.

Bailor, D. *et al.* 1991. «A meta-analysis of the factor affecting exercice-induced changes in body mass, fat mass and fat-free mass in males and females.» *International Journal of Obesity,* 15:717.

Bjorntorp, P. 1991. «Adipose tissue distribution and function.» *International Journal of Obesity,* 2:67.

_____. 1987. «Classification of obese patients and complications related to the distribution of body fat.» *American Journal of Clinical Nutrition*, 45:1120.

Brown, J. *et al.* 1992. «Parity-related weight changes in women.» *International Journal of Obesity*, 16:627.

Burgess, N. *et al.* 1991. «Effects of very low calorie diets on body composition and resting metabolic rate in obese men and women.» *Journal of American Dietetics Association*, 91:430.

Campaigne, B. 1990. «Body fat distribution in females: metabolic consequences and implication for weight loss.» *Medicine & Science in Sports & Exercise*, 22:291.

Casimirri, F. *et al.* 1989. «Interrelationships between body weight, body fat distribution and insulin in obese women before and after hypocaloric feeding and weight loss.» *American Nutritional Medicine*, 33:79.

Cauley, J. *et al.* 1989. «The epidemiology of serum sex hormones in post-menopausal women.» *American Journal of Epidemiology*, 129:6:1120.

Coppack, S. *et al.* 1992. «Adipose tissue metabolism in obesity: lipase action in vivo before and after a mixed meal.» *Metabolism Clinique & Expertise*, 41:264.

Cramps, F. *et al.* 1989. «Lipolytic response of adipocytes to epinephrine in sedentary and exercice-trained subjects: sex related differences.» *European Applied Physiology*, 59:249.

DenBesten, C. *et al.* 1988. «Resting metabolic rate and diet-induced thermogenesis in abdominal and gluteao-femoral obese women before and after weight reduction.» *American Journal of Clinical Nutrition*, 47:840.

Despres, J. *et al.* 1991. «Loss of abdominal fat and metabolic response to exercice training in obese women.» *American Journal of Physiology*, 261:159.

Doolittle, M. *et al.* 1990. «The response of lipoprotein lipase to feeding and fasting.» *Journal of Biological Chemistry*, 15:4570.

Drewnowski, A. *et al.* 1992. «Taste responses and food preferences in obese women: effect of weight cycling.» *International Journal of Obesity*, 16:639.

Eckel, R. *et al.* 1987. «Weight reduction increases adipose tissue lipoprotein lipase responsiveness in obese women.» *Journal of Clinical Investigation*, 80:992.

Freedman, D. *et al.* 1990. «Body fat distribution and male/female differences in lipids and lipoproteins.» *Circulation,* 81:1498.

Fried, S. *et al.* 1990. «Nutrition-induced variations in responsiveness to insulin effects on lipoprotein lipase activity in isolated fat cells.» *Journal of Nutrition,* 120:1087.

Frisch, R. 1985. «Fatness, menarche, and female fertility.» *Perspectives in Biological Medicine,* 28:611.

Garrow, J. 1988. «Is body fat distribution changed by dieting?» *Acta Medica Scandinavia,* 723:199.

Geissler, C. *et al.* 1987. «The daily metabolic rate of the post obese and the lean.» *American Journal of Clinical Nutrition,* 45:914.

Haffner, S. *et al.* 1991. «Increased upper body and overall adiposity is associated with decreased sex hormone binding globulin in postmenopausal women.» *International Journal of Obesity,* 15:471.

Hattori, K. *et al.* 1991. «Sex differences in the distribution of subcutaneous and internal fat.» *Human Biology,* 63:53

Hirsch, J. *et al.* 1989. «The fat cell.» *Medical Clinics of North America,* 73.83.

Hodgetts, V. *et al.* 1991. «Factors controlling fat mobilization from human subcutaneous adipose during exercise.» *Journal of Applied Physiology,* 71:445.

Hudgins, L. *et al.* 1991. «Changes in abdominal and gluteal adipose tissue fatty acid compositions in obese subjects after weight gain and weight loss.» *American Journal of Clinical Nutrition,* 53:1372.

Jensen, M. *et al.* 1989. «Influence of body fat distribution on free fatty acid metabolism in obesity.» *Journal of Clinical Investigation,* 83:1168.

Kaye, S. *et al.* 1991. «Association of body mass and fat distribution with sex hormone concentrations in postmenopausal women.» *International Journal of Epidemiology,* 20:151.

Keim, N. *et al.* 1991. «Physiological and biochemical variables associated with body fat loss in overweight women.» *International Journal of Obesity,* 15:283.

Kern, P. *et al.* 1990. «The effects of weight loss on the activity and expression of adipose tissue lipoprotein lipase in very obese subjects.» *New England Journal of Medicine,* 12:1053.

Kirschner, M. *et al.* 1991. «Sex hormone metabolism in upper and lower body obesity.» *International Journal of Obesity,* 2:101.

Krotkiewski, M. *et al.* 1983. «Impact of obesity on metabolism in men and women.» *Journal of Clinical Investigation,* 72:1150.

Lanska, D. 1985. «A prospective study of body fat distribution and weight loss.» *International Journal of Obesity,* 9:241.

Leibel, R. 1989. «Physiological basis for the control of body fat distribution in humans.» *Annual Revue of Nutrition,* 9:417.

Lindberg, U. *et al.* 1991. «Effects of early pregnancy on regional adipose tissue metabolism.» *Hormonal and Metabolical Research,* 23:25.

_____. 1990. «Regional adipose tissue metabolism in postmenopausal women after treatment with exogenous sex steroids.» *Hormonal & Metabolical Research,* 23:345.

Litchfield, R. 1988. «Oral contraceptives and fat patterning in young adult women.» *Human Biology,* 60:793.

Markman, B. 1989. «Anatomy and physiology of adipose tissue.» *Clinics in Plastic Surgery,* 16:235.

Martin, M. *et al.* 1991. «Effects of body fat distribution on regional lipolysis in obesity.» *Journal of Clinical Investigation,* 86:609.

Mauriege, P. *et al.* 1990. «Abdominal fat cell lipolysis, body fat distribution and metabolic variables in premenopausal women.» *Journal of Clinical Endocrinology and Metabolism,* 7:1028.

Miller, W. *et al.* 1990. «Diet composition, energy intake, and exercise in relation to body fat in men and women.» *American Journal of Clinical Nutrition,* 52:426.

Raison, J. *et al.* 1988. «Regional differences in adipose tissue lipoprotein lipase in relation to body fat distribution and menopausal status in obese women.» *International Journal of Obesity,* 12:465.

Rebuffe-Scrive, M. 1991. «Neuroregulation of adipose tissue: molecular and hormonal mechanisms.» *International Journal of Obesity,* 2:83.

_____. 1985. «Fat cell metabolism in different regions in women: the effect of the menstrual cycle, pregnancy, and lactation.» *Journal of Clinical Investigation,* 75:1973.

Rebuffe-Scrive, M. *et al.* 1983. «Effect of local application of progesterone on human adipose tissue lipoprotein lipase.» *Hormonal and Metabolical Research,* 15:566.

_____. 1991. «Effect of testosterone on abdominal adipose tissue in men.» *International Journal of Obesity,* 15:791.

_____. 1986. «Metabolism of abdominal fat and femoral adipocytes in women before and after menopause.» *Metabolism,* 9:792.

Rodin, J. *et al.* 1990. «Weight cycling and fat distribution.» *International Journal of Obesity,* 14:303.

Rosbell, M. *et al.* 1984. «Effects of hormones on glucose metabolism and lipolysis.» *Journal of Biological Chemistry,* 239:375.

Ryan, T. *et al.* 1989. «Genesis of adipocytes.» *Clinical Dermatology,* 7:9.

Schultz, Y. *et al.* 1989. «Failure of dietary fat intake to promote fat oxydation: a factor favoring the development of obesity.» *American Journal of Clinical Nutrition,* 50:307.

Seidell, J. 1991. «Environmental influences of regional fat distribution.» *International Journal of Obesity,* 2:31.

Shimokatam, H. *et al.* 1989. «Studies in the distribution of body fat: the effect of age, sex, and obesity.» *Journal of Gerontology,* 44:66.

_____. 1989. «Studies in the distribution of body fat: longitudinal effects of change in weight.» *International Journal of Obesity,* 13:455.

Simpson, E. 1989. «Regulation of estrogen biosynthesis by human adipose cells.» *Endocrine Revue,* 10:136.

Soler, J. *et al.* 1989. «Association of body fat distribution with plasma lipids, lipoproteins, apolipoproteins in postmenopausal women.» *Journal of Clinical Epidemiology,* 41:1075.

Strokosch, G. *et al.* 1990. «Lipoprotein lipase.» *New England Journal of Medicine,* 15:477.

Tarui, S. *et al.* 1991. «Viseral fat obesity: anthropological and pathophysiological aspects.» *International Journal of Obesity,* 2:1.

Tonkelaer, I. *et al.* 1989. «Factors influencing waist/hip ratio in randomly selected pre- and post-menopausal women.» *International Journal of Obesity,* 13:817.

Tremblay, A. *et al.* 1989. «Impact of dietary fat content and fat oxydation on energy intake in humans.» *American Journal of Clinical Nutrition,* 49:799.

Tryon, W. *et al.* 1992. «Activity decreases as percentage over-weight increases.» *International Journal of Obesity,* 16:591.

Vague, J. 1989. «Sexual differentiation of the adipose tissue-muscle ratio: its metabolic consequences.» *Bulletin of the Academy of National Medicine,* 173:309.

Vansant, G. *et al.* 1988. «Body fat distribution and the prognosis for weight reduction.» *International Journal of Obesity,* 12:133.

Westrate, J. *et al.* 1990. «Resting energy expenditure in women: the impact of obesity and body fat distribution.» *Metabolism,* 39:11.

Wing, R. *et al.* 1992. «Change in waist-hip ratio with weight loss and its association with change in cardiovascular risk factors.» *American Journal of Clinical Nutrition,* 55:1086.

Yost, T. *et al.* 1992. «Regional similarities in the metabolic regulation of adipose tissue lipoprotein lipase.» *Metabolism Clinique & Expertise,* 41:33.

Xuefan, X. *et al.* 1990. «The effects of androgens on the regulation of lipolysis in adipose tissue precursor cells.» *Endocrinology,* 126:1229.

Zamboni, M. *et al.* 1992. «Body fat distribution in pre- and post-menopausal women: metabolic and anthropometric variables and their interrelationships.» *International Journal of Obesity,* 16:495.

Compléments à la méthode **OFF**

Séminaires et ateliers

Debra Waterhouse est disponible pour donner des conférences sur ce livre et sur différents domaines de la nutrition, ainsi que pour des ateliers de formation. Les organismes intéressés sont priés de lui écrire à l'adresse suivante:

Debra Waterhouse
6114 LaSalle Avenue
Box #342
Oakland, CA 94611
USA

Faites-nous part de votre expérience

Si vous voulez nous faire part de votre expérience de la méthode **OFF**, nous en serons heureux. N'oubliez pas de mentionner tout changement du pourcentage de gras corporel, les pouces perdus, la perte de graisse (en livres), le gain de muscle (en livres), ainsi que tout autre renseignement pertinent. Expédiez vos lettres à l'adresse ci-dessus.

INDEX

Table des matières

 **LES ÉDITIONS DE L'HOMME**

Ouvrages parus aux
Éditions de l'Homme

Affaires et vie pratique

* 1001 prénoms, leur origine, leur signification, Jeanne Grisé-Allard
  100 stratégies pour doubler vos ventes, Robert L. Riker
* Acheter et vendre sa maison ou son condominium, Lucille Brisebois
* Acheter une franchise, Pierre Levasseur
* Les assemblées délibérantes, Francine Girard
* La bourse, Mark C. Brown
* Le chasse-insectes dans la maison, Odile Michaud
* Le chasse-insectes pour jardins, Odile Michaud
* Le chasse-taches, Jack Cassimatis
* Choix de carrières — Après le collégial professionnel, Guy Milot
* Choix de carrières — Après le secondaire V, Guy Milot
* Choix de carrières — Après l'université, Guy Milot
* Comment cultiver un jardin potager, Jean-Claude Trait
  Comment rédiger son curriculum vitæ, Julie Brazeau
* Comprendre le marketing, Pierre Levasseur
  La couture de A à Z, Rita Simard
  Des pierres à faire rêver, Lucie Larose
* Des souhaits à la carte, Clément Fontaine
* Devenir exportateur, Pierre Levasseur
* L'entretien de votre maison, Consumer Reports Books
* L'étiquette des affaires, Elena Jankovic
* Faire son testament soi-même, Me Gérald Poirier et Martine Nadeau Lescault
* Les finances, Laurie H. Hutzler
* Gérer ses ressources humaines, Pierre Levasseur
  La graphologie, Claude Santoy
* Le guide de l'auto 95, J. Duval, D. Duquet et M. Lachapelle
* Le guide des bars de Montréal 93, Lili Gulliver
* Guide des fleurs pour les jardins du Québec, Benoit Prieur
* Le guide des plantes d'intérieur, Coen Gelein
* Guide des plantes pour la maison, Benoit Prieur
* Guide du jardinage et de l'aménagement paysager au Québec, Benoit Prieur
* Le guide du vin 95, Michel Phaneuf
* Guide gourmand 1995 - les bons restaurants de Montréal, Josée Blanchette
  Guide pratique des vins de France, Jacques Orhon
  Guide pratique des vins d'Italie, Jacques Orhon
* J'aime les azalées, Josée Deschênes
* J'aime les bulbes d'été, Sylvie Regimbal
  J'aime les cactées, Claude Lamarche
* J'aime les conifères, Jacques Lafrenière
* J'aime les petits fruits rouges, Victor Berti
  J'aime les rosiers, René Pronovost
* J'aime les tomates, Victor Berti
* J'aime les violettes africaines, Robert Davidson
  J'apprends l'anglais..., Gino Silicani et Jeanne Grisé-Allard
  Le jardin d'herbes, John Prenis
* Lancer son entreprise, Pierre Levasseur
* Le leadership, James J. Cribbin
* La loi et vos droits, Me Paul-Émile Marchand
* Le meeting, Gary Holland
* Mieux comprendre sa vie de travail, Claude Poirier et Nicole Gravel
* Mon automobile, Gouvernement du Québec et Collège Marie-Victorin
* Nouveaux profils de carrière, Claire Landry
  L'orthographe en un clin d'œil, Jacques Laurin
* Ouvrir et gérer un commerce de détail, C. D. Roberge et A. Charbonneau
* Le patron, Cheryl Reimold
* La planification fiscale étape par étape, Diane Blais et Michel Lanteigne

Affaires publiques, vie culturelle, histoire

Animaux

L'éducation du chien, Dr Joël Dehasse et Dr Colette de Buyser
* **Encyclopédie des oiseaux du Québec,** W. Earl Godfrey
* **Mon chat, le soigner, le guérir,** Dr Christian d'Orangeville
* **Nos animaux,** D. W. Stokes et L. Q. Stokes
* **Nos oiseaux, tome 1,** Donald W. Stokes
* **Nos oiseaux, tome 2,** Donald W. Stokes et Lillian Q. Stokes
* **Nos oiseaux, tome 3,** Donald W. Stokes et Lillian Q. Stokes
* **Nourrir nos oiseaux toute l'année,** André Dion et André Demers
Vous et vos oiseaux de compagnie, Jacqueline Huard-Viaux
Vous et vos poissons d'aquarium, Sonia Ganiel
Vous et votre bâtard, Ata Mamzer
Vous et votre Beagle, Martin Eylat
Vous et votre Beauceron, Pierre Boistel
Vous et votre Berger allemand, Martin Eylat
Vous et votre Bernois, Pierre Van Der Heyden
Vous et votre Bobtail, Pierre Boistel
Vous et votre Boxer, Sylvain Herriot
Vous et votre Braque allemand, Martin Eylat
Vous et votre Briard, Pierre Van Der Heyden
Vous et votre Bulldog, Pierre Van Der Heyden
Vous et votre Bullmastiff, Pierre Van Der Heyden
Vous et votre Caniche, Sav Shira
Vous et votre Chartreux, Odette Eylat
Vous et votre chat de gouttière, Annie Mamzer
Vous et votre chat tigré, Odette Eylat
Vous et votre Chihuahua, Martin Eylat
Vous et votre Chow-chow, Pierre Boistel
Vous et votre Cockatiel (Perruche callopsite), Michèle Pilotte
Vous et votre Collie, Léon Éthier
Vous et votre Dalmatien, Martin Eylat
Vous et votre Danois, Martin Eylat
Vous et votre Doberman, Paula Denis
Vous et votre Épagneul breton, Sylvain Herriot
Vous et votre furet, Manon Paradis
Vous et votre Husky, Martin Eylat
Vous et votre Labrador, Pierre Van Der Heyden
Vous et votre Lévrier afghan, Martin Eylat
Vous et votre lézard, Michèle Pilotte
Vous et votre Loulou de Poméranie, Martin Eylat
Vous et votre perroquet, Michèle Pilotte
Vous et votre perruche ondulée, Michèle Pilotte
Vous et votre petit rongeur, Martin Eylat
Vous et votre Rottweiler, Martin Eylat
Vous et votre Schnauzer, Martin Eylat
Vous et votre serpent, Guy Deland
Vous et votre Setter anglais, Martin Eylat
Vous et votre Siamois, Odette Eylat
Vous et votre Teckel, Pierre Boistel
Vous et votre Terre-Neuve, Marie-Edmée Pacreau
Vous et votre Tervueren, Pierre Van Der Heyden
Vous et votre tortue, André Gaudette
Vous et votre Westie, Léon Éthier
Vous et votre Yorkshire, Sandra Larochelle

Cuisine et nutrition

Les aliments et leurs vertus, Jean Carper
Les aliments qui guérissent, Jean Carper
Le barbecue, Patrice Dard
* **Bien manger sans se serrer la ceinture,** Marie Breton
* **Biscuits et muffins,** Marg Ruttan
Bon appétit!, Mia et Klaus
Bonne table et bon cœur, Anne Lindsay
* **Bons gras, mauvais gras,** Louise Lambert-Lagacé et Michelle Laflamme

Plein air, sports, loisirs

Psychologie, vie affective, vie professionnelle, sexualité

Santé, beauté

**le jour,
éditeur**

Ouvrages parus au Jour

Affaires, loisirs, vie pratique

* L'affrontement, Henri Lamoureux
* Les bains flottants, Michael Hutchison
* Le cœur de la baleine bleue, Jacques Poulin
* Conte pour buveurs attardés, Michel Tremblay
* La France à la québécoise, André Bergeron et Émile Roberge
* Le guide du répondeur bien branché, Robert Blondin et Lucie Dumoulin
* J'avais oublié que l'amour fût si beau, Évette Doré-Joyal
* Jean-Paul ou les hasards de la vie, Marcel Bellier
* Oslovik fait la bombe, Oslovik
* Questions réponses sur vos droits et recours, François Huot

Animaux

Le chat himalayen, Nadège Devaux
Le serin (canari), Michèle Pilotte

Ésotérisme, santé, spiritualité

L'astrologie pratique, Wofgang Reinicke
Couper du bois, porter de l'eau — Comment donner une dimension spirituelle à la vie de tous
   les jours, Collectif
De l'autre côté du miroir, Johanne Hamel
Les enfants asthmatiques, Dr Guy Falardeau
Le grand livre de la cartomancie, Gerhard von Lentner
Grand livre des horoscopes chinois, Theodora Lau
Jeûner pour sa santé, Nicole Boudreau
* Pour en finir avec l'hystérectomie, Dr Vicki Hufnagel et Susan K. Golant
Pouvoir analyser ses rêves, Robert Bosnak
Le pouvoir de l'auto-hypnose, Stanley Fisher
Questions réponses sur la maladie d'Alzheimer, Dr Denis Gauvreau et Dr Marie Gendron
Questions réponses sur la ménopause, Ruth S. Jacobowitz
Renaître, Billy Graham
Sagesse amérindienne, Dhyani Ywahoo

Essais et documents

* 1759 La bataille du Canada, Laurier L. LaPierre
* L'accord, Georges Mathews
* L'administration et le développement coopératif, Marcel Laflamme et André Roy
* Les années Trudeau — La recherche d'une société juste, T. S. Axworthy et P. E. Trudeau
* Le Dragon d'eau, R. F. Holland
* Elle sera poète, elle aussi! Liliane Blanc
* Femmes et politique, Yolande Cohen, Andrée Yanacopoulo et Nicole Brossard
* Les femmes sont-elles allées trop loin?, Francine Burnonville
* Le français, langue du Québec, Camille Laurin
* Hans Selye ou la cathédrale du stress, Andrée Yanacopoulo
* Hiérarchie ethnique dans la grande entreprise, Jean-Marie Rainville
* L'histoire des femmes au Québec, Le collectif Clio
* Jacques Cartier - L'odyssée intime, Georges Cartier
Mémoires politiques, Pierre Elliott Trudeau
Les mythes à travers les âges, Joseph Campbell

Psychologie, vie affective, vie professionnelle, sexualité

L'accompagnement au soir de la vie, Andrée Gauvin et Roger Régnier
Adieu, Dr Howard M. Halpern
Adieu la rancune, James L. Creighton
L'agressivité créatrice, Dr George R. Bach et Dr Herb Goldberg
Aimer, c'est choisir d'être heureux, Barry Neil Kaufman
Aimer son prochain comme soi-même, Joseph Murphy
L'amour lucide, Gay Hendricks et Kathlyn Hendricks
L'amour obsession, Dr Susan Foward
Apprendre à vivre et à aimer, Léo Buscaglia
Arrête! tu m'exaspères — Protéger son territoire, Dr George Bach et Ronald Deutsch
L'art d'engager la conversation et de se faire des amis, Don Gabor
L'art de vivre heureux, Josef Kirschner
Augmentez la puissance de votre cerveau, A. Winter et R. Winter
L'autosabotage, Michel Kuc
La beauté de Psyché, James Hillman
Bien vivre ensemble, Dr William Nagler et Anne Androff
Le bonheur, c'est un choix, Barry Neil Kaufman
Le burnout, Collectif
Célibataire et heureux!, Vera Peiffer
Ces hommes qui ne communiquent pas, Steven Naifeh et Gregory White Smith
C'est pas la faute des mère!, Paula J. Caplan
Ces vérités vont changer votre vie, Joseph Murphy
Comment acquérir assurance et audace, Jean Brun
* **Comment aimer vivre seul**, Lynn Shanan
Comment apprendre l'autodiscipline aux enfants, Thomas Gordon
Comment décrocher, Barbara Mackoff
Comment faire l'amour à la même personne pour le reste de votre vie, Dagmar O'Connor
Comment faire l'amour à une femme, Michael Morgenstern
Comment faire l'amour à un homme, Alexandra Penney
Comment faire l'amour ensemble, Alexandra Penney
Comment peut-on pardonner?, Robin Casarjian
Communication efficace, Linda Adams
Le courage de créer, Rollo May
Créez votre vie, Jean-François Decker
Le défi de l'amour, John Bradshaw
Dire oui à l'amour, Léo Buscaglia
Dominez les émotions qui vous détruisent, Dr Robert Langs
Dominez vos peurs, Vera Peiffer
La dynamique mentale, Christian H. Godefroy
Éloïse, poste restante, Loïse Lavallée
Les enfants dictateurs, Fred G. Gosman
Les enfants hyperactifs et lunatiques, Dr Guy Falardeau
L'éveil de votre puissance intérieure, Anthony Robins
* **Exit final — Pour une mort dans la dignité**, Derek Humphry
Faites la paix avec votre belle-famille, P. Bilofsky et F. Sacharow
Focusing au centre de soi, Dr Eugene T. Gendling
La famille, John Bradshaw
* **La famille moderne et son avenir**, Lyn Richards
La fille de son père, Linda Schierse Leonard
La Gestalt, Erving et Miriam Polster
Le grand voyage, Tom Harpur
L'héritage spirituel d'une enfance difficile, Josef Kirschner
L'homme sans masque, Herb Goldberg
L'influence de la couleur, Betty Wood
Je ne peux pas m'arrêter de pleurer, John D. Martin et Frank D. Ferris
Lâcher prise, Guy Finley
* **Maîtriser son destin**, Josef Kirschner
* **Les manipulateurs**, E. L. Shostrom et D. Montgomery
Messieurs, que seriez-vous sans nous?, C. Benard et E. Schlaffer
Mieux vivre avec nos adolescents, Richard Cloutier
Le miracle de votre esprit, Dr Joseph Murphy
Née pour se taire, Dana Crowley Jack
* **Nos crimes imaginaires**, Lewis Engel et Tom Ferguson

---

* Pour l'Amérique du Nord seulement. (940620)

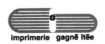

imprimerie gagné ltée

IMPRIMÉ AU CANADA